Plaza Patatta

Paniek in Parijs

-- *Plaza Patatta op reis* --

PANIEK IN PARIJS
PLAZA PATATTA

NANDA ROEP

Tekeningen van Silvester

Uitgeverij Nanda

De Plaza Patatta-serie bestaat uit

Boeken:
Een geheim luik
De verdwenen jongen
De gesloten kamer
Een giftige indringer
De geheimzinnige ober
Sinterklaas: Help, wie klopt daar?!
Kerst: Stille nacht, angstige nacht
De theatergek
Paniek in Parijs

Het grote geheim van Plaza Patatta - omnibus met de eerste drie delen

Muziek:
Plaza Patatta - liedjes uit de voorstelling (via iTunes)
Schoolmusical: *'Plaza Patatta en de wensput'*
(via www.mijnsterkeproducties.nl)

Internet:
Website: www.plazapatatta.nl
Hyves: www.plazapatatta.hyves.nl
Facebook: www.facebook.com/plazapatatta
Twitter: @plazapatatta
Pinterest: www.pinterest.com/nandaroep

Uitgeverij Nanda, Apeldoorn
© 2012 tekst: Nanda Roep
© 2012 illustraties: Silvester Zwaneveld
Zetwerk: Silvester Zwaneveld
Druk: Wilco, Amersfoort
ISBN 9789490983109, NUR 282+283

Menu

Wie is wie?

Deze avontuurlijke dame is elf, het oudste kind in huis. Dat betekent dat zij de paspoorten voor het gezin al bij zich mag houden. En dat ze een eigen mobieltje krijgt zodat ze zelf bijvoorbeeld een boodschapje kan halen in een vreemd land. Enneh... dat is dus *echt* zo! Ze heeft een mobiel gekregen! Te leen, van haar moeder! Het is alleen voor deze reis, maar dat maakt haar niks uit. Een telefoon is een telefoon. Ze heet **Luna**.

Dit reislustige type is het tweede en ook jongste kind van de familie. Het maakt haar heus niks uit dat zij geen mobieltje mag, echt niet. (*Ahum...*) Zij is nou eenmaal de slimste en zal de Franse taal supersnel leren. Dan *vraagt* ze gewoon ergens een telefoon als ze die nodig heeft. Ze heet **Lotte**.

En deze lieve, mooie, be-
roemde en rondborstige
dame is mevrouw Veld-
stra. **Mama Marianne**, de
opera-ster. Zij kan helaas
niet mee naar Parijs, want
ze is aan het optreden in
Bulgarije. Nu moet papa
Hans dus én een work-
shop volgen én voor hun
dochters zorgen. Daar
maakt ze zich eerlijk
gezegd wel zorgen om.

En dit is hun vader:
papa **Hans Veldstra**. Hij
is de *trotse* kok van hun
eigen restaurant Plaza
Patatta. Het was fijner
geweest als hij een *goede*
kok was, haha, maar
ja, hij is in ieder geval
trots hè, dat is ook veel
waard.

Papa heeft een vriend, Loek de kok*, die wél kan koken. Loek heeft geregeld dat papa bij **Monsieur Spatèl**, een drie-sterrenkok, een workshop mag volgen. Voor zijn verjaardag. Wat lief hè?

Papa is er best zenuwachtig voor, want wat moet een begin-nende kok als hij in een keuken met drie sterren?! Maar ja, je moet een gegeven paard niet in de bek kijken, vooral niet als het zo spannend is. Dus zijn ze op weg. Met de trein, naar Parijs, Frankrijk. Want daar is het beroemde sterrenrestau-rant van monsieur Spatèl...

* Zie: Plaza Patatta 'Stille nacht, angstige nacht'

Kijk uit voor kinderlokkers

Met de trein zijn ze door Nederland en België gezoefd. Nu ze bijna bij Parijs zijn, schuift papa Hans dichterbij en kijkt zijn dochters ernstig aan. Hij zegt: 'Ik heb jullie toch vaak genoeg verteld over kinderlokkers, hè? Die gebruiken simpele dingen als snoep om kinderen te lokken...'
Luna en Lotte knikken. Ze reizen al zes uur, ze zijn blij dat ze bijna uit de trein mogen. Ze zuchten diep en draaien met hun ogen: 'Ja, pap.'
'Neenee, niet zo geërgerd.' Hun vader hapt naar adem en het is wel duidelijk: hij gaat het hele verhaal nog eens doen. 'Er zijn mensen, meestal mannen, die lekkers meenemen, kindersnoep. Dan wachten ze tot ze kinderen in hun eentje zien spelen en vragen ze of die kinderen misschien een lolly willen.'
'Dan zeggen we nee,' knikt Luna.
'Ze zeggen dat ze thuis potten vol snoep hebben en dat je wel mee mag om het te zien en snoepjes uit te kiezen.'
Lotte giechelt. 'Pap, we zijn geen kleuters meer.'
Luna stoot haar aan: 'Jij nog wel.'
'Ha. Ha,' doet Lotte, 'wat grappig weer.' Maar Luna zit alweer in haar eentje te lachen om zichzelf. Ze speelt met het mobieltje. Het is echt een vette, een roze, waar je ook nog foto's en filmpjes mee kan maken.

Papa zucht. 'Goed zo, dat is belangrijk.' Hij legt zijn hand op die van Luna. 'Je begrijpt toch hoe belangrijk het is, hè?' Luna kucht, maar Lotte knikt. Ze begrijpt het. Er zijn nou eenmaal slechte mensen op de wereld die slechte bedoelingen hebben. En nu hun vader in Parijs kooklessen gaat volgen bij een beroemde kok, zijn ze soms een ochtend alleen in het appartement. Maar ze zijn al negen en elf, heus wel groot genoeg, ze zullen voorzichtig zijn.

❖

Ze stappen uit op station *Gare du Nord*. Dat is een beroemd treinstation, een van de drukste stations van de wereld.

Luna en Lotte vinden het vooral een warm station, met te veel reizigers.

'Straks krijgen jullie eten en drinken,' zegt papa. 'Als we in het restaurant zijn aangekomen.'

Luna's mobiel begint te piepen. Ze zet haar rolkoffer neer en kijkt op de telefoon. 'Een sms van mama,' zegt ze. 'Of we goed zijn aangekomen.'

Papa knikt. 'Antwoordt maar als we er zijn, dan kan je meteen vertellen hoe het restaurant is.'

Het liefste zou Luna natuurlijk direct antwoorden. Het liefste zou ze sowieso de hele dag met de telefoon spelen! Het is de privé-mobiel van mama, die ze gebruikt als ze thuis is, zodat ze niet de hele tijd door werkberichten wordt gestoord.

Het liefste had mama de meiden mee willen nemen naar Bulgarije, maar ze kon geen extra stoelen meer reserveren voor het vliegtuig. Papa zei dat hij heus goed voor de meiden zou zorgen, ook al deed hij een kookcursus.

Op zich wilden Luna en Lotte wel bij Camil blijven om samen voor Plaza Patatta te zorgen, maar dat vond niemand van de volwassenen verantwoord. Camil is zelf pas achttien, dat vond mama te jong om én een restaurant te runnen, én voor twee meiden te zorgen. Hij is sowieso aan de jonge kant om een week in zijn eentje een restaurantje te runnen, maar ja, Camil komt uit het circus en dan is alles anders…

Volgens papa zou Camil het zéker te druk hebben voor Luna en Lotte en zouden de meiden hem alleen maar in de weg lopen. Nee, dit was een noodoplossing, maar wel de beste. In de ochtend moeten ze zich alleen in het appartement vermaken, in de middag doen ze samen leuke dingen. Als er iets misgaat, kunnen ze bellen met mama's telefoon. Op zich een goed plan.

Luna zal extra voorzichtig zijn met de mobiel, en ze heeft plechtig beloofd dat ze in Parijs niet het internet opgaat, omdat het dan superduur wordt. Dus knikt ze nu lief naar haar vader. Straks, als ze bij het restaurant zijn, kan ze mama terug sms'en.

Ze gaan met een roltrap omlaag en komen in een wirwar van gangen terecht waar Luna en Lotte hopeloos zouden verdwalen. Hier moeten ze de goede metro vinden, en zelfs

papa kan hier gemakkelijk de weg kwijtraken. Peinsend
staat hij voor een groot bord waar een wirwar aan gekleurde
lijntjes op staat. De plattegrond van de metro. 'Volgens mij
moeten we eerst met nummer vier richting *Porte d'Orléans* en
dan overstappen op halte *Les Halles*. Hm...' Hij aait met zijn
vinger over zijn kin, maar zegt dan: 'Ja, zo doen we het. Volg
mij maar.'
Luna en Lotte voelen zich wat giechelig in deze gigantische
wereldstad. Parijs. Met haar beroemde Eiffeltoren. En de Arc
de Triomphe. En de Champs Elysées.
Lotte zingt alweer: 'O, Champs Elysées! *Tidatidadi*. Ooo,
Champs Elysées!'
Luna valt haar bij: 'Hier zijn we dan / een leuk gezin / we
feesten hier / en hebben zin!'
Lachend zingen ze samen door: 'Nu gaan we eerst de metro
in, voor Champs Elysées!'
Met hun rolkoffer gaan ze een enorme roltrap af. Papa is
druk bezig met het zoeken van de juiste route. Hij zegt:
'Denk erom dat ik je voor kinderlokkers heb gewaarschuwd,
hè?'
'Jahaa,' zeggen de meiden en zingen verder.

❖

Pas na een lange, lange metroreis, waarbij ze moesten overstappen en papa Hans niet meer wist naar welke metrolijn
ze moesten (lijn A, want die ging door ná halte *Arc de Triomphe*), staan ze nu eindelijk voor het restaurant van meneer
Spatèl. Het is een smal huisje met houten kozijnen. Het staat
onopvallend in een rij huizen, alsof het ertussen gepropt is.
Klein maar fijn – en niks bijzonders. Zo ziet het eruit.

Papa Hans verzucht: 'Restaurant *Chez Moi*.' Hij kijkt ernaar met liefde én angst in zijn ogen. 'We moeten om de hoek zijn, bij de personeelsingang.' Hij werpt een blik op zijn papieren. Ze lopen verder.

'Sjee mwa?' vraagt Lotte – en krijgt van Luna een beuk.

'Dat heeft mama toch uitgelegd,' sist Luna. '*Chez moi* is Frans en het betekent: Bij mij.'

Lotte fronst haar wenkbrauwen en vraagt: 'Restaurant *Bij Mij*?'

Luna lacht: 'Niet erg bescheiden.'

'Sst,' doet papa. 'Dit is van een topkok, die hoeft niet bescheiden te zijn. En denk erom dat je niet naar patat vraagt, want dat is veel te gewoontjes voor zo'n sjieke kok.

'Eet hij nooit friet?!' Lotte kan het niet geloven.

'Sst,' doet papa weer. Inmiddels is hij zichtbaar nerveus geworden. 'Het is erger: hij veracht friet en zal mij een patatbakker vinden, dus jullie houden je–' en dan gaat de deur al open.

'*Bonjour*!' Een man met rode wangen spreidt zijn armen en neemt hun vader in de houdgreep. 'Ik zal u eindelijk leren koken!'

15

Arc de Triomphe

Meneer Spatèl is een grote man. Breed en intimiderend. Als hij niet zo beroemd was, zou je waarschijnlijk bang van hem worden. Er zit ook geen mooie lach op zijn gezicht, hij heeft meer een soort, eh, paddenkop. Hij neemt papa mee naar binnen, terwijl hij druk praat in het Frans.

'Ze zitten midden in een overleg,' vertaalt papa verontschuldigend terwijl hij zich mee laat voeren. De meisjes hobbelen er achteraan. Ze gaan gelijk naar de keuken, waar gewerkt wordt. Luna en Lotte rollen hun koffers door een gang met jassen en koksbuizen.

Het is hier volslagen anders dan bij Plaza Patatta. Papa's keuken lijkt nog wel een beetje op die van een *gezin*, maar de keuken van meneer Spatèl lijkt meer op een *fabriek*. Alles is van chroom en het is brandschoon. Er staan koelkasten zo groot als mama's kledingkast.

'Zooo, daar pas ik zelfs in,' zegt Luna.

Spatèl stopt even met praten om naar Luna te kijken. Hij zegt iets. In het Frans. Terwijl hij nog steeds naar haar kijkt. Het klinkt zo: Kessekeldie.* Hij kijkt haar aan zonder lach en zelfs zonder te knipperen met zijn ogen. Luna slikt. Als hij wordt geroepen en samen met papa door de deur naar het restaurant gaat, durft ze pas weer uit te ademen.

'Wat een engerd,' fluistert ze.

Lotte fluit tussen haar tanden.

* Hij zegt: 'Que'est-ce qu'elle dit?' Dat betekent: 'Wat zegt ze?' Maar dat verstaat Luna niet.

De pannen zijn hoger dan die van een weeshuis en de messen scherper dan die van een slager. Omdat de mannen vooruit zijn gelopen, hebben Luna en Lotte alle tijd om zich te vergapen aan het enorme aanrecht. De gigantische oven…
'Whoo, die is groot genoeg voor een kind,' zegt Luna.
Luna denkt aan de manier waarop Spatèl naar haar keek en voelt een rilling over haar rug. 'Kijk maar uit, volgens mij deinst hij er niet voor terug om een kind te koken.' Ze pakt Lottes hand en stapt de keuken uit. Voor hetzelfde geld staan ze hier in de weg, het lijkt haar beter om terug te gaan naar het halletje bij de deur.
In de gang is een kapstok, net als bij Plaza Patatta. Bij hen is die voor de gasten, maar deze kapstok is alleen maar voor het personeel. Zoveel mensen werken hier dus, wel vijftien, misschien wel twíntig!
Maar dan stoot Luna haar zusje aan. Bij de kapstok waar

zoveel jassen hangen, fluistert ze: 'Zie je dat?' Ze knikt in de richting van een donkergroen jasje, een colbert. Het is een oud ding, met rafels onderaan en een scheur in de zijnaad. De diepe zakken staan wijd uit.

'Kijk er eens in?' zegt Luna met een knik naar de jaszak. Lotte maakt grote ogen als ze ziet wat erin verstopt zit: drie lollies. Lóllies. Angstig kijkt ze naar haar zus. Dit is precies waar papa voor heeft gewaarschuwd... Haar hartslag stijgt.

'V a n w i e i s d i e j a s ?' vraagt ze superzacht.

Luna haalt haar schouders op: 'Weet ik veel. Iemand die hier werkt.'

'Z o u d a t e e n k i n d e r l o k k e r z i j n?'

'Nee, joh!' Luna geeft haar zusje een beuk. Dan kijkt ze toch om zich heen of iemand hen heeft gehoord.

❖

Ze slapen boven het restaurant. Chez Moi is zo chic, dat het enkele gastenverblijven heeft. Papa heeft een van de appartementen gehuurd zodra hij wist dat hij zijn dochters mee moest nemen naar Parijs. Papa heeft hen naar boven gebracht en is toen weer naar beneden gegaan, naar het restaurant. Hij moest kennismaken met de andere cursisten, vandaar.

Luna en Lotte liggen samen in het grote bed. Ze hebben het voor het raam geschoven en kijken naar buiten. In het donker lijken alle belangrijke gebouwen te zijn verlicht. Het ziet er magisch uit.

'Zie je dat kleine puntje helemaal in de verte?' Luna wijst naar een puntje dat Lotte niet kan vinden. 'Dat is de Eiffeltoren.' In groep zes heeft haar vriendin Lobke een spreekbeurt over de Eiffeltoren gehouden. 'Het hoogste gebouw van Parijs.'

'Hoe hoog dan?'

'Weet ik niet meer, iets van driehonderd meter. Ja, zeg, die spreekbeurt van Lobke is alweer twee jaar geleden!' Ze zegt: 'Ik weet nog dat hij verroest.'

'Huh?'

'De Eiffeltoren is helemaal van staal. En staal roest. Is echt waar, hoor! Ze moeten hem iedere zeven jaar opnieuw verven, anders stort-ie in'

'Doe niet zo raar.' Lotte giechelt. Ze ligt op haar buik. Haar kin steunt op haar handen.

Luna lacht mee. 'Ze doen er wel een jaar over om hem te schilderen, serieus. En in de zomer is hij twintig centimeter hoger dan in de winter.'

'Doe normaal!'

'Haha, het is zo! Het staal krimpt door de kou, en zet uit door de warmte. Dat scheelt zóveel!' Lachend spreidt Luna haar armen tot een stuk waarvan ze denkt dat het twintig centimeter is.

Lotte kijkt tevreden naar buiten, ook al ziet ze nergens die toren die kennelijk zo hoog boven de stad uittorent. 'Weet je hoe dat daar heet?' Lotte wijst recht vooruit.

'Ik zie niks.'

'Jawel, die boog. Dat vierkante gebouw, maar dan met een boog erin.'

'Dat ding daar?'

Luna knikt. 'Dat is de Arc de Triomphe. Kan een vliegtuig doorheen.'

'Dat verzin je!'

'Echt waar!' Luna kijkt haar zusje met pretogen aan. 'Moet je

eens een boek lezen, dan weet je zulke dingen ook.'
'Ik lees anders meer boeken dan jij.' Lotte legt haar wang op
haar handen en tuurt naar Luna. 'Stokbrood,' zegt ze dan
plagerig.
'Huh?!' Luna veert op.
'Haha, je bent een stokbrood!' lacht Lotte.
'Dat neem je terug!' Luna werpt zich op Lotte om haar de
kieteldood te geven. 'Als ik met je klaar ben, ben je zo krom
als een croissant!'

❖

Midden in de nacht wordt Lotte wakker. Luna ligt lawaaiig
te ronken. Is papa al terug? Ze hebben hem niet meer terug-
gezien vandaag. Ja, even kwam hij haastig naar boven, met
wat stukken brood en excuses. Plus het verhaal dat hij helaas
meteen aan de slag moest in het restaurant. Daarna hebben
ze wel op hem gewacht, maar zijn ze uiteindelijk maar gaan
slapen...
Ze stapt uit bed om te gaan plassen en dan ziet ze hem zitten. Aan de kleine eettafel, gebogen over een ultradik kookboek.
'Hai pap,' zegt ze slaperig. 'Hoe laat is het?'
Papa Hans trekt haar op schoot en drukt een kus op haar
wang. 'Midden in de nacht.' Hij laat zijn blik over een kleur-
rijke pagina glijden. 'Hij weet het. Hij weet dat ik altijd friet
serveer. Vreselijk vindt hij het, ik las het in zijn ogen. Toen
moest ik mayonaise maken van hem. Maar ik kon het niet.'
Papa verzucht: 'Ik heb een restaurant waar je altijd friet
krijgt, maar ik kan geen mayonaise maken...' Hij slikt. 'Je
moet olie en azijn in perfecte balans krijgen met een eidooier

en dan ook nog peper en mosterd, ach...' Hij schudt zijn
hoofd. 'We gebruiken in Plaza Patatta altijd mayonaise uit
potten, dat is toch ook prima?' Hij zucht vermoeid. 'Ik denk
dat meneer Spatèl nu al spijt heeft dat hij me heeft toege-
laten tot zijn cursus. We moeten dingen maken die hij in zijn
restaurant zou kunnen serveren, hè? Ik, Hans Veldstra, de
patatbakker.'
Lotte schudt haar hoofd. 'Je bent ook een ex-uitvinder en je
maakt altijd lekkere dingen. Friet, maar ook pizza en feest-
flappen of discoballen. Hij moet blij zijn dat hij jou leert kennen.' Ze legt haar armen om zijn nek. 'Want jij bent de beste.'
Papa glimlacht flauwtjes. 'Het is de bedoeling dat ik aan

het eind van de week spinazie-wijnsaus maak. Als een toets voor een diploma. Ik heb allerlei ingrediënten gekregen die helemaal niet bij elkaar passen. En daar móét ik dus iets van maken. Er moet witte wijn en melk doorheen, maar ook mosterd en kerrie, en dan ook nog boter en room plus natuurlijk de spinazie... Ik zou echt niet weten hoe dat ooit moet smaken.'

'Het klinkt anders typisch als een idee van jou.' Lotte legt een hand op zijn schouder. 'Jij wilt altijd rare dingen bij elkaar gieten. Zoals pudding met haring, weet je nog?' Ze trekt een vies gezicht. 'Maar uiteindelijk komt het altijd goed, de mensen eten toch graag bij ons? Nu zal het ook wel goed komen, op de een of andere manier. Wedden?'

Papa laat zijn schouders zakken. Hij kijkt Lotte aan en ademt diep in. Je kan zien dat hij zijn best doet om haar een mooie lach te geven.

'Nu lekker weer je bedje in,' zegt hij. 'Morgen is een grote dag.'

Dat is zo. Morgen gaan ze naar de Eiffeltoren!! Hun eerste uitje van deze week en ze zien er ontzettend naar uit. Luna en papa zeggen dat je helemaal tot in het hoogste puntje kunt, en dat willen ze natuurlijk meemaken!

'Ga nu maar,' zegt papa dan.

Lotte laat zich van zijn schoot glijden.

De Eiffeltoren

De volgende ochtend gaat al vroeg de wekker, maar papa komt niet uit bed. Luna en Lotte zijn al aangekleed en hebben zelfs ontbeten als ze besluiten hem toch maar wakker te maken.

'Pap?'

Voorzichtig steken ze hun hoofd om de hoek van zijn slaapkamer. Hij ligt scheef over zijn bed, nog in de kleren van gisteren. Zijn shirt is omhoog geschoven waardoor zijn buik bloot is. Zijn mond staat half open: hij ligt letterlijk op apegapen.

Luna fluistert: 'Wacht.' Ze gebruikt haar paardenstaart om zachtjes over papa's buik te strijken.

'Hhg,' doet hij en hij krabt over zijn navel.

Lotte drukt haar hand op haar mond, maar dit gaat ze echt niet houden!

Luna kriebelt met haar vingers over papa's voetzolen en er klinkt nu een soort 'gnr' terwijl hij zijn benen optrekt en over het laken schuurt.

'Hihi,' doet Lotte – en papa komt omhoog: 'Huh?'

'Goeiemorgen!' Met een plof springt Luna op zijn bed. 'Ga je mee?'

Lotte staat er lacherig bij als papa 'jaja' kucht en uit bed stapt.

'Lieve hemel,' zegt hij, 'heb ik niet eens mijn kleren uitgetrokken? Ik wilde alleen even rusten voor ik verder zou lezen in het kookboek, mijn oefenboek. Hoe moet het nu als ik–'

'Geen zorgen, papa,' onderbreekt Luna hem. 'Je volgt de cursus voor jezelf en het moet wel leuk blijven, hè?' Ze opent zijn koffer en pakt een schone spijkerbroek en shirt voor hem.

'Is ook zo,' knikt papa terwijl hij zich omkleedt. 'Maar ja, als je er eenmaal aan begint, dan wil je toch…'

'De beste zijn,' vult Luna hem aan. 'Maar soms moet je genoegen nemen met de *leukste* zijn.' Ze lacht tevreden om haar eigen wijze raad.

Lotte weet dat Luna gelijk heeft. Gelukkig vindt papa dat ook. Vandaag is om plezier te maken: ze gaan naar de Eiffeltoren!!

❖

Ze nemen de metro tot halte *Charles de Gaulle Étoile* en stappen daar over op lijn zes richting *Nation*. Die heeft een halte vlak naast de Eiffeltoren, of zoals de Fransen zeggen: *Tour Eiffel*.

Luna heeft ontdekt dat je het beste meteen een pakketje metrokaartjes kunt kopen. Want je gaat toch overal met de metro heen en dan hoef je niet elke keer in de rij te staan voor een kassa. Ook heeft ze een gratis plattegrondje meegepakt waarop alle metrolijnen staan met de belangrijkste attracties van Parijs.

'Dit snap ik wel, pap,' zegt ze. 'Je hoeft je geen zorgen meer te maken over ons, we zullen hier niet zomaar verdwalen.'

Papa wrijft in zijn ogen.

Lotte kijkt haar vader bezorgd aan. Ze vindt dat hij er moe en bleekjes uitziet. Hij moet zich niet zo druk maken, hij hoeft echt geen sterrenkok te worden. Plaza Patatta is superleuk en altijd druk. Papa is niet de beste kok, maar het eten smaakt altijd goed. Nou ja, bíjna altijd... Nou ja, vaak genoeg...

Ze hebben nu zelfs Camil, die het restaurant openhoudt terwijl het hele gezin weg is. Normaal kan de chefkok van een restaurant echt niet zomaar weg. Normaal is de chefkok de enige die weet hoe alles precies moet worden gekookt. Maar ja, in Plaza Patatta is alles anders. De gerechten die zij maken, dat kan een kind – dus Camil ook wel, haha.

Meer kan papa toch niet wensen? Waarom vindt hij het dan ineens zo belangrijk om hetzelfde te kunnen als een sterrenkok?

'Ik wil mijn vriend Loek niet beschamen,' zucht papa. 'Het is een gunst van Spatèl aan Loek dat *ik* mag meelopen in de keuken. Ik moet er niet aan denken dat ik zo slecht ben dat ze er ruzie om krijgen...'

Luna legt haar hand op de knie van haar vader. 'Zó erg ben je nou ook weer niet,' zegt ze.

Maar Lotte kijkt haar ernstig aan. Niet om lastig te zijn hoor, maareh, zo erg is hij misschien juist *wel*... Het is lief van Loek dat hij papa Hans hoger heeft ingeschat, maar misschien niet helemaal terecht.

❖

Pas als ze al bij de Eiffeltoren staan, klaart papa's gezicht eindelijk wat op. 'Ik ben zo slim geweest om thuis al kaartjes te reserveren,' zegt hij. 'We hoeven niet in de rij!'

Luna en Lotte zijn er niet van onder de indruk. Die zijn namelijk al te veel onder de indruk van iets anders: de Eiffeltoren zelf. Met hun hoofd in hun nek staren ze naar het e-nor-me gevaarte.

De Eiffeltoren was lange tijd het hoogste gebouw van de wereld. Hij is in 1887 gebouwd voor een tentoonstelling en ze hebben er maar liefst twee jaar over gedaan. Toen de Eiffeltoren in 1889 eindelijk klaar was, vonden ze het zonde om hem na de tentoonstelling weer af te breken. Dus hebben ze hem laten staan.

'Wauw...' zucht Luna.

'Wauw...' fluistert Lotte.

Nu is de Eiffeltoren wereldberoemd en bijna alle toeristen die Parijs bezoeken, gaan erheen. De Eiffeltoren is helemaal gemaakt van staal en staat op vier poten. In elk van die poten zit een trap, en soms ook een lift, naar de eerste verdieping. De eerste verdieping is bijna zestig meter boven de grond. En de tweede verdieping is op honderdvijftien meter hoogte! Met zijn drieën stappen ze hier over naar een tweede lift, die hen helemaal naar boven brengt, naar de derde verdieping, en dan staan ze driehonderd meter boven de grond...

'Wauw...' zegt Luna weer. Het is of ze even geen andere woorden meer kent.

Ze kijken uit over heel Parijs.

Papa trekt zijn dochters tegen zich aan. 'Nu kun je goed zien dat Parijs doormidden wordt gesneden door de rivier de Seine. Zie je wel?' Hij wijst naar de brede rivier onder hen. 'Dat is zo grappig aan Parijs: door die enorme rivier heb je twee helften, Parijs links en Parijs rechts. Parijzenaren noemen het 'de linkeroever' en 'de rechteroever'.' Zijn oog valt

op iets anders en hij wijst alweer in de verte: 'Daar is de Arc de Triomphe! Zie je, zie je?'

Luna en Lotte moeten langs papa's vinger kijken en het duurt lang, maar dan zien ze hem.

'Hij staat in een cirkel!' zegt Lotte.

'Dat is geen cirkel, oliebol, dat is een plein.'

Papa knikt. 'Een megadruk plein. Iedereen rijdt er alle kanten op.

'Wist je,' zegt Lotte wijsneuzerig tegen haar vader, 'dat je zelfs met een vliegtuig onder de Arc de Triomphe doorkunt?'

'Dat heb ik haar verteld!' roept Luna.

Lotte kijkt haar zus uitdagend aan. Normaal zouden ze nu in een stevige achtervolging belanden, maar daarvoor is het op deze top te klein, te smal en te druk.

Geschrokken en boos

Aan het einde van de middag komen ze lacherig aan bij het appartement. Ze leggen de souvenirs neer die ze voor mama hebben gekocht – een sleutelhangertje en een T-shirt met de Eiffeltoren.

Papa wil nog even in de keuken van Spatèl gaan kijken en de meiden besluiten met hem mee te lopen. Ze stappen het kleine halletje van de personeelsingang in en zien Spatèl al door het raampje. Met een rood, boos hoofd staat hij boven de potten en pannen. Zodra hij papa Hans ziet, stuift hij op hem af.

'Waar was je!' blaft hij in het Frans.

Luna en Lotte verstaan het niet, maar papa wel. Hij zegt: 'Het spijt me, ik was met mijn dochters...'

'Je bent de hele middag weggeweest!'

Meneer Spatèl praat zo snel, dat papa Hans alle aandacht nodig heeft om de woorden te ontcijferen. De Franse taal is prachtig, maar erg snel – vooral als iemand zo boos doet als meneer Spatèl.

'Sorry, ik...'

'Kom mee naar de keuken. Nu.' Meneer Spatèl draait zich om en beent weg. Papa kijkt zijn dochters schuldbewust aan. En Luna en Lotte? Die kijken geschokt toe hoe iemand het lef heeft om hun lieve vader de mantel uit te vegen. Nooit in hun leven hebben ze zoiets gezien... Het maakt Luna razend, en Lotte vooral verdrietig. Maar ze laten zich niet kennen. Zolang papa ermee door wil gaan, zullen ze hem steunen.

'Ga maar, papa,' zegt Lotte lief. 'Wij koken wel even voor onszelf in het appartement. Dat kunnen we wel, dat heb je ons toch geleerd?'

'Sorry, ik…'

Lotte pakt zijn hand. 'Niet vergeten dat je voor ons altijd de beste bent, hè?' zegt ze.

'Dank je.' Papa gaat achter meneer Spatèl aan.

Het is voor de meiden lastig om aan te zien dat iemand zo boos doet tegen hun vader. Luna heeft een boze blik in haar ogen. 'Hoe durft hij,' puft ze pissig.

Ze kijken door het raampje naar papa, die een klopper in zijn hand gedrukt krijgt en een pannetje met saus.

Spatèl roept orders naar zijn team van koks; dunne mannen in witte koksbuizen die knalhard werken. Zelf draagt hij een groene jas. Een oud vod met rafels eraan. Het is alsof hij het ding ineens zelf ook opmerkt, want hij stapt de gang in om hem op te hangen.

Luna en Lotte schrikken ervan dat hij zo plotseling hun kant opkomt. Ze proberen zich zo klein mogelijk te maken, maar Spatèl ziet hen toch. Hij lijkt te schrikken. Schrikt hij? Ja, zijn ogen zijn groot, hij krijgt extra vlekken in zijn nek.

'Wat doen jullie hier nog?!' lijkt hij te zeggen in zijn snelle Frans. Hij kijkt hen wantrouwend aan terwijl hij de jassen herschikt. De zijne hangt hij *onder* een andere jas. 'Kssj,' sist hij nog, alsof hij katten moet wegjagen.

Luna en Lotte vertrekken inderdaad. Maar ze kijken elkaar veelbetekenend aan. Dat is die jas vol met loksnoep. Daarom verstopt Spatèl hem onder andere jassen. Maar hij weet niet dat Luna en Lotte het óók weten...

❖

Ze zijn misschien twintig minuten boven gebleven, hooguit
dertig. Toen hield Luna het niet meer: ze móest meer te
weten komen over Spatèl. Topkoks staan erom bekend dat
ze onaardig kunnen zijn in de keuken, vanwege de hoge
werkdruk, maar bij hem is het anders. Bij hem is het omdat
hij iets *verbergt*.
'Sst,' doet ze. Ze staat op straat met de knop van de perso-
neelsdeur in haar handen.
'W e m o g e n n i e t n a a r b i n n e n ,' sist Lotte.
'W e e t i k ,' antwoordt Luna muizenzacht. 'S s t .' En dan
sluipen ze zachtjes door de deur.
Op handen en knieën zitten ze in het halletje, zo klein mogelijk in een hoekje. Luna gluurt over het randje van een
binnenraam en ziet de keuken in bedrijf. Als werkmieren in
witte koksbuizen krioelt het personeel door de keuken.
Er zijn verschillende chefs die allemaal weer een eigen team
van personeel hebben. Er is een chef vlees, een chef vis, een
chef groenten, pasta, voorgerecht, nagerecht en: een chef
sauzen. Elke chef heeft een eigen ploegje medewerkers, die
op hun beurt allemaal blozend, stresserig, verhit of zelfs
angstig hun best doen.
De potten en pannen worden gepakt, gevuld, gespoeld en
weer gebruikt alsof het een dans is van een choreograaf, zo'n
ritme heeft het. Iedereen hakt, snijdt, bakt, spatelt, roert, giet
en schudt alsof hij een danser is van een beroemd gezel-
schap. Hak hak, snij snij, roer roer, giet giet, schudt schudt...
Haha, echt hoor, je kunt er zo een dansje op bedenken!

Papa Hans staat er ook. Maar hij danst niet. Hij krabt over zijn voorhoofd en kijkt van het pak melk naar de fles witte wijn en weer terug. Wat moet hij er nou mee...? Als Luna en Lotte een idee hadden, zouden ze hem meteen helpen, maar ja, ze kunnen hier in Parijs helaas niet even naar Frida Frietje voor hulp.* En haar bellen met de mobiel heeft ook geen zin, want de oude Frida heeft niet eens een telefoon. (Ook geen computer en zelfs geen tv. Kan je het je voorstellen?)

De keuken van meneer Spatèl is beroemd in heel Europa, dat heeft hun vader verteld. Mensen die hier willen eten, moeten vijf maanden van tevoren reserveren want het is altijd vol. *Goed* zal het dus wel zijn, maar of het ook *leuk* is...

'P s s t ,' doet Luna.

Lotte schrikt zich rot als ze ziet wat Luna doet: ze zit met haar hoofd in de jassen! Ze moet gauw weg bij de kapstok, iedereen kan haar zo zien zitten!

Luna wenkt met haar hoofd dat Lotte ook moet komen. Ze graait in de zakken van de groene jas en laat een handjevol toffees en zuurtjes zien. Maar net op het moment dat Lotte zich bij Luna wil voegen, grijpt een grote hand de staart van Luna!! O nee, het is die dikke Spatèl! Hij schreeuwt niet eens, maar kijkt haar aan met een blik die kan doden. Hij tilt haar hoog op, nog altijd aan haar staart, Luna schreeuwt het uit van de pijn. Hij klakt met zijn tong. Hij likt over Luna's wang – getverdemme! En dan... hapt hij Luna's oor eraf!

Het bloed spuit eruit en Luna grijpt geschrokken naar haar–

'Luna!' roept Lotte bang - en ze krijgt meteen een duw tegen haar arm.

'Sukkel, je zit weer te dromen,' sist Luna.

Hijgend kijkt Lotte naar haar grote zus. 'Je oren zijn er nog.'

'Helaas wel, ja, daardoor heb ik goed gehoord hoe jij hier zat

* Zie: Plaza Patatta 'De verdwenen jongen'

33

te krijsen als een speenvarken!'

'Je bent zelf een varken, een varken aan het spit!'

'Dat neem je terug!' roept Luna en ze springt bovenop haar zusje. Ze buitelen achterover en vallen – **klap** – tegen de muur – **KLOENK**.

Huh?

'Hoorde je dat?' fluistert Luna verbaasd.

'Het klinkt hol,' zegt Lotte en ze gaat muizenzacht verder: 'E e n g e h e i m e k a s t.'

Verrek, nu ze goed kijken, blijkt de lambrizering helemaal niet direct op de muur te zitten. Nee, hij steekt iets naar voren, een paar millimeter maar. Je kunt het bijna niet zien met het blote oog. Het is… de deur van een kast.

'Z a c h t j e s,' zegt Lotte.

'S s t,' doet Luna. Ze krabbelt met haar vingers over het hout. Op de een of andere manier moet het toch open kunnen... Er zit geen handvat, nergens een greep. Maar op één plekje is de verf wat vager, een beetje viezig zelfs. Luna voelt op het hout, probeert er beweging in te krijgen en dan... schuift het deurtje opzij. 'W a u w,' zegt ze.

Ook Lottes mond is opengevallen. In het halletje van deze wereldberoemde keuken, in een geheime muurkast, lijkt het wel *Sjakie en de Chocoladefabriek*! Ze zien potten vol kauwgom, lollies en zuurtjes. Toffees en Caramacs. Heerlijke Franse snoepaardbeitjes en natuurlijk banaantjes. Een hele snoepwinkel is het. Alles netjes opgeborgen in smalle, hoge potten die speciaal gemaakt lijken voor de ondiepe kast. Waarom ook niet; die Spatèl verdient genoeg om ze te laten maken!

'Wil je wat?' vraagt Luna brutaal. Ze steekt haar hand in een paar snoeppotten en grabbelt overal wat uit.

'N i e t d o e n !' hikt Lotte angstig maar lacherig. 'D o e
d i c h t !' Ze buigt over Luna heen en schuift zo snel ze kan
de lambrizeringdeur dicht– en dan voelt ze een hand op
haar schouder.
Haar adem stokt.
Haar hart staat stil.
'Ikdachtweldatikjulliezag!' Het is papa. Hij kijkt bozer dan
boos. Hij praat sneller dan snel. 'Julliemoetenbovenblijven.
Wiljesomsdatikindeproblemenkom?!'
De meisjes schudden van 'nee'. Ze willen hem niet in de
problemen brengen. Ze willen juist graag dat hij het *fijn*
heeft.
'Er is snoep,' sputtert Luna voorzichtig. 'Die Spatèl...'
'... is wereldberoemd.' Papa zet zijn handen in zijn zij. 'Hij
staat onder hoge druk en daarom kan hij wat kortaf zijn.
'Verder wil ik er niks meer over horen. Wegwezen hier!'
Op handen en knieën schieten Luna en Lotte naar buiten. Ze
zijn schichtig binnengekomen en gaan automatisch ook weer
weg als diefjes in de nacht. Een donkere stem buldert: 'Wat
is dit? Wie staat hier zo te prutsen met melk en wijn?!'
'Sorry, *monsieur* Spatèl, *je m'excuse*...' Papa holt als een bang
kind terug naar zijn plek.
Lotte vraagt zich af: Waarom? Waarom laat hij zich zo be-
handelen? Misschien heeft restaurant Chez Moi veel succes
en lovende recensies, maar dat neemt niet weg dat het bij
Plaza Patatta veel leuker is! Het is er gezellig met Camil,
de paarden-acrobaat, in de bediening. De treintjes langs de
muur en de geur van heerlijke friet. Er klinken altijd vrolijke
liedjes en er wordt altijd gelachen. Oók in de keuken, óók als
er van alles misgaat.
Ineens krijgt ze een doffe klap in haar maag – **dof**. Auw...

Luna fluistert ultrazacht: 'L o t ! D a a r g a a t h i j .
S p a t è l !'
'Verrek. Waar gaat hij naartoe? Moet hij niet koken?'
'L a t e n w e h e m v o l g e n .'
'N ú m e t e e n ? !'

Bois de Boulogne

Het is bijna vijf uur, maar meneer Spatèl is niet in zijn restaurant. Dat lijkt Luna en Lotte hoogst ongebruikelijk voor een chef-kok. Moet hij niet aanwezig zijn om alles voor te bereiden voor de eerste gasten? Kennelijk niet...

Iedereen verwacht dat hij aan het werk is, en dat zou hij ook moeten zijn. Misschien kan het gewoon, hoor, misschien is hij niet nodig. Maar nee, eerlijk gezegd geloven ze dat niet. Hij is de chef-kok, natuurlijk is hij nodig! De meiden beseffen ook: iedereen denkt dat hij aan het werk is en dat geeft hem een prachtig alibi. Hoe dan ook: het is zeker verdacht. Waarom laat hij zijn restaurant nu achter, terwijl er zo gasten komen? Hij hoeft de politie maar te zeggen dat hij aan het koken was, en ze geloven hem. Tsja. Maar de meiden hebben hem zien vertrekken.

Luna wilde meteen achter hem aan, en ze gingen ook, maar Lotte is bang. Hij voldoet aan alles wat papa over kinderlokkers vertelde: hij draagt een voorraad snoep bij zich waarmee hij een kind kan verleiden om met hem mee te gaan.

'We zijn de enigen die weten wat hij uitspookt,' vindt Luna. 'We móeten hem wel volgen, stel je voor dat hij iemand aanvalt!'

Ja, dat begrijpt Lotte wel, maar ja... Wat, als hij *hen* aanvalt? Steeds verder gaan ze bij het restaurant vandaan. Straks verdwalen ze nog!

'Ik heb toch mama's telefoon,' vindt Luna. 'We kunnen altijd om hulp bellen.'

Lotte bijt op haar lip. Ze weet het niet…

Spatèl kijkt schichtig om zich heen – maar dat kan ook zo lijken omdat hij uitkijkt voordat hij oversteekt. Parijs is een van de grote wereldsteden, het is echt óveral druk, zelfs in het tussenstraatje waar Chez Moi zit.

'Hou in de gaten welke straten we oversteken,' beveelt Luna. 'Anders kunnen we de weg niet terugvinden.'

'We zijn net eh, reu-iets-met-charles overgestoken.'

'Braadworst! In Frankrijk heet een straat *rue*. Dat zeg je 'rú'. Geen reu!'

Lotte giechelt. 'Je bent zelf een worst.'

Spatèl gaat niet in de richting van de *Arc de Triomphe* of de Eiffeltoren, maar blijft buiten de enorme ringweg, de *Boulevard Périphérique*, die om Parijs heengaat. Heel Parijs is opgedeeld in wijken, die noemen ze *arrondissementen*. Elke wijk heeft een nummer, maar Chez Moi zit helemaal aan de rand van de stad in een buitenwijk. Buiten de ringweg, in een straatje achter het 16e arrondissement.

'Oké, aan de ene kant heet het Boulevard Maillot en aan de andere kant iets met Maurits. Die maillot kan ik wel onthouden.'

'We komen in een park,' fluistert Luna.

'Het heet *Avenue du Mahatma Gandhi*. Gandhi. Dat is toch die man die zonder geweld actie voerde? Misschien kunnen we Spatèl daaraan herinneren wanneer hij ons betrapt.'

'Niet zo lollig doen, ik probeer hem te volgen.'

'Sorry hoor.' Lotte puft. Ze hoeft heus niet grappig zijn, maar ze vindt het wel fijn als ze even niet zo angstig is.

Luna kijkt bezorgd omhoog. 'Het wordt al donker .'

'Hé,' zegt Lotte dan. 'Wat hoor ik nou? Ik hoor kinderen!'
Luna fluistert: 'Hij gaat ergens heen. Hij staat bij een kassa –
wacht, hij gaat naar binnen!'
'Waarin, waar?'

❖

De meiden staan voor een enorm bord. Ze lezen: *Jardin
d'acclimatation*.
Lotte vraagt: 'Wat betekent dat?'
'Weet ik veel!' Luna klinkt kribbig. 'Ik zit in groep acht, ik
heb alleen Engels!' Ze zucht. 'Ik kan niet uitstaan dat ik niet
weet wat er met die vent aan de hand is. Er klopt iets niet, en
ik wil weten wát.'
Lotte knikt. Ze ziet ouders met kinderen naar buiten komen.
Ze lachen en de kinderen springen van plezier. 'Het lijkt me
iets leuks, misschien een pretpark of zo.'
Luna kijkt haar vragend aan. 'Een pretpark?'
'Zou dat kunnen denk je, in een park? O ja, ahum, pret*park*.'
Luna knijpt haar ogen dicht en zegt bedachtzaam: 'Als dat
zo is, dan is het pas echt verdacht dat een beroemde chef-
kok er naartoe gaat. Met zakken vol snoep.' Luna zucht nog
eens diep en tuurt naar het bord waar *Jardin d'acclimatation*
op staat. 'Zie je die getallen?' vraagt ze dan. 'Kost het maar
twee euro vijftig?'
Lotte haalt haar schouders op. 'We kunnen het proberen.
Heb jij nog geld?'
Luna pakt haar portemonnee en knikt. 'Ik heb tien euro.
Kom, we gaan naar binnen!'

❖

Eenmaal in het park is het een paar honderd meter lopen voordat ze de eerste attracties zien. Het is echt waar: het is een pretpark! Lotte zou het liefste meteen ergens ingaan, maar Luna herinnert haar eraan dat ze hier met een missie zijn. 'Die kinderlokker vinden.'

Er zijn bootjes waarin ze over een rivier kunnen varen, stalletjes met suikerspinnen en een inktvis voor als je zin hebt om misselijk te worden, haha! Het is hartstikke leuk en megadruk; hoe moeten ze hem ooit vinden?

Luna vraagt zich hardop af: 'Er is zoveel snoep te koop, waarom zou je hier kinderen gaan lokken met snoepjes?' 'Omdat het snoep hier vreselijk duur is,' puft Lotte bij een prijslijst. 'Niet te betalen!'
Eerlijk gezegd is het zo'n gezellig kinderpark, dat Luna en Lotte moeite moeten doen om hun doel niet te vergeten: Spatèl vinden. Pas als ze begrijpen dat je voor elke attractie extra moet betalen, lukt het ze om zich te concentreren op hun doel. Ze hebben toch niet genoeg geld.

Ze blijven bij de schiettent en kijken naar twee schattige kleuters die plastic eendjes proberen te hengelen. Ze letten echt goed op, maar zien geen spoor van die chagrijnige Spatèl.

Teleurgesteld besluiten ze terug naar het restaurant te gaan, als Lotte ineens haar elleboog in Luna's zij prakt. 'Daar! B i j d a t g e b o u w...'

Luna's mond valt open. Ze ziet hem. Schichtig in een hoek, bij een wit gebouw waar allerlei ouders met hun kleine kinderen iets te eten en drinken kopen. 'De schoft,' zegt ze.

Hij staat richting de bosjes gebogen, naast het kantine-achtige gebouwtje. Wat doet hij daar – houdt hij soms een kind verstopt achter zijn brede rug? Staat hij snoep uit te delen? Ze kunnen het niet zien...

'Hé!' roept Luna dan hard.

Spatèl kijkt geschrokken op – maar ook Lotte schrikt zich rot. Luna zet het als een waanzinnige op een lopen; wat is ze van plan, wil ze hem ter plekke overmeesteren soms? Waarom vergeet ze nou zo vaak dat ze nog *kinderen* zijn?! 'Luna, Luun!' gilt Lotte.

Allerlei mensen kijken om, maar Luna reageert niet. Zodra

Spatèl ziet dat Luna, dat *meisje*, die *dochter* op hem afstuift,
zet hij het op een rennen. Daar schrikt Lotte nog méér van.
Hij heeft dus echt iets te verbergen!

Meidensoep

Ze zijn hem kwijtgeraakt. Natuurlijk, ze kennen de weg hier tenslotte niet zo goed als hij. Als een speer vloog Spatèl voor hen uit en in een mum van tijd was hij verdwenen. Foetsie. Luna werd er behoorlijk chagrijnig van, maar eerlijk gezegd was Lotte stiekem wel opgelucht. Wat hadden ze moeten doen? Hem ieder bij een arm pakken en dan 'help' roepen of zo? Ze weet niet eens hoe dat moet in het Frans! *

Serieus, wat hadden ze moeten doen, 112 bellen, soms? Ze kan zich niet voorstellen dat het Nederlandse alarmnummer ook vanuit Parijs werkt, maar zelfs als dat zo is: hoe snel kan de politie vanuit Nederland in het Bois de Boulogne zijn?! Maar Luna heeft heel andere gedachten. Die is toch echt vastbesloten om Spatèl te pakken. 'Hij doet iets en het klopt niet,' murmelt ze. 'We weten níet wat hij doet, maar we weten wél dat het fout is.'

Ze wandelen terug naar het restaurant. Ze kunnen de weg wel vinden, het is gelukkig niet al te ingewikkeld.

Het is alleen... Lotte vraagt zich af... Kunnen ze nog wel terug? Nu Spatèl weet dat ze hem betrapt hebben... Het lijkt haar nogal, eh, gevaarlijk dus. Hij kan hen gemakkelijk iets aandoen, en dit is waarom:

1: Hij weet dat ze alleen in het appartementje zitten...

2: Hij weet dat hun vader te druk is om op ze te letten...

3: Hij weet óók precies wanneer hun vader aan het werk is...

Dus ja, als hij de meiden zou willen uitschakelen omdat ze

* Help = Au secour! Dat zeg je zo: o sekoer!

44

te lastig worden, dan zou dat dus echt een makkie voor hem zijn, brr...

'Luun?'

'Ja, eierkopje?'

'Waar gaan we heen?'

'Naar het appartement natuurlijk.'

'Maar wat als Spatèl ons daar opwacht?'

'Dat doet hij niet, drilpuddinkje. Maar als jij te bang bent, zullen we wel naar papa in de keuken gaan.'

'Maar wat, als Spatèl ons *daar* opwacht?'

Luna slaat haar arm om Lotte heen. 'Op een van die twee plaatsen zal hij wel zijn, bangerikje van me.'

Lotte knikt. En slikt.

Luna zegt lief: 'Hij zal ons heus niet villen in het bijzijn van alle koks, hoor. Denk je soms dat hij meidensoep wil maken?'

'Je bent zelf een soep,' probeert Lotte. Maar haar stem klinkt te zacht.

❖

Ze zijn er. Ze staan voor de deur van restaurant *Chez moi.* Zelfs Luna twijfelt: zullen ze naar binnen gaan? Eigenlijk is de vraag: *durven* ze naar binnen te gaan? Het antwoord is: nee. Dat durven ze dus echt niet.

Maar ja, ze hebben geen keus. Het is echt niet zo dat ze even naar huis terug kunnen om bij Camil te schuilen in Plaza Patatta. Of dat ze hun beste vriend Adem* kunnen bellen voor bescherming. Het is óók niet zo dat ze naar hun moeder kunnen om zich veilig te wanen in haar warme armen. En papa zal ze ook niet beschermen. Welnee, als die wist wat

* Zie Plaza Patatta 'De verdwenen jongen'

er is gebeurd, zou hij juist woest op ze zijn!

Het is Luna die haar moed bijeen raapt.

'Kom op,' zegt ze tegen haar bange zusje. Ze blaast uit. Haar knieën trillen. Dan opent ze de deur.

'K i j k u i t,' fluistert Lotte – maar wat kunnen ze doen? Ze moeten wel, er is geen keuze.

De deur is nog maar op een kier open, of ze horen Spatèls stem al brullen. 'Iedereen samenkomen!' schreeuwt hij.

Ze horen hoe vorken kletteren, hoe pannen sissen. Ze horen het koksteam haastig lopen. Niemand durft Spatèl te laten wachten.

'Er is iets gebeurd,' zegt hij. 'Iets nieuws.' Hij praat soms in het Frans, dat is onverstaanbaar voor de meiden. Dan gaat hij weer verder in het Engels, dat is een klein beetje te volgen voor Luna, want die heeft al Engelse les sinds groep zeven.

'W a t z e g t h i j ?' vraagt Lotte superzacht. 'Komen ze op ons af?'

Luna haalt haar schouders op. Ze sluit de deur stilletjes. Ze kijkt Lotte aan en zegt: 'We gaan niet naar binnen. Nu we zeker weten dat hij hier is, kunnen we snel naar ons appartement.'

'Ja!' roept Lotte opgelucht.

Luna knikt. 'Dan doen we gauw de deur op slot.'

'Ja,' zegt Lotte ernstig.

Zo gaan ze het doen.

❖

Het appartement is leeg en saai. Donker ook. En koud. Lotte doet in alle kamers de lampen aan. Luna controleert wel drie keer of de deur goed op slot zit. Dat zit 'ie. Maar ja, wat als

Spatèl een sleutel heeft? Tenslotte hoort het appartement bij zijn restaurant.

Eigenlijk moet je de sleutel erin laten zitten, dan kan je de deur van buitenaf niet meer openen. Het liefste zouden ze dat doen. Maar dan kan hun vader vannacht niet meer naar binnen.

Hm.

Ze durven niks te doen. Ze durven zich nauwelijks te bewegen. Geen geluid te maken. Bijna niet te ademen. Geen drinken in te schenken en al helemaal niet met een zakje chips te kraken. De televisie niet aan te zetten. Ze durven de deur niet uit het oog te verliezen. De wc niet door te trekken. Er is niks aan op deze manier...

'Z u l l e n w e m a m a b e l l e n ?' Luna vraagt het heel zachtjes, normaal praat ze nooit zo hysterisch zacht.

Lotte knikt. Ja, ze wil mama bellen. Heel graag zelfs.

Luna pakt de mobiele telefoon en zoekt gemakkelijk mama's nummer op.

Mama mobiel: 06-89*geheim*98

Alleen maar cijfers van zeven en hoger, daar hebben ze thuis nog om zitten lachen: mama krijgt altijd een dikke voldoende.

Luna kiest het nummer en laat de telefoon overgaan.

Tring...tring...tring...

Dan horen ze: 'Dit is de persoonlijke voicemail van Marianne Veldstra. Ik ben op het moment aan het zingen, dus spreekt u alstublieft een bericht in.'

'Ze neemt niet op,' zucht Luna.

'Ik mis haar.' Lotte heeft tranen in haar ogen.

Luna laat haar schouders hangen. Het is na achten, ze staat natuurlijk op het podium.'

Lotte knikt. En slikt. Het geeft niks. Ze zijn groot genoeg. Ze bedenken wel iets. Ze zullen zich wel redden...

Verbinding verbroken

'Er is iets nieuws,' zegt papa de volgende ochtend. 'Een wedstrijd.' Zijn haren zijn een warboel van knopen en vogelnestjes – hij heeft duidelijk nogal onrustig geslapen. 'We moeten zelf een recept bedenken. Gisteren heeft Spatèl ons allemaal bij elkaar geroepen om het te vertellen.'

Dat weten Luna en Lotte, want op dat moment stonden ze met de deurklink in hun handen te twijfelen of ze naar binnen durfden. Maar ze konden niet verstaan wát hij precies zei, dat natuurlijk niet.

Papa vertelt: 'We moeten een nieuw gerecht verzinnen dat op de kaart van Chez Moi past. Dus niet iets simpels als patat. Hij zei het er expres bij.'

Luna en Lotte kijken elkaar hierom even geërgerd aan.

'We moeten werken vanuit het recept dat we onder de knie proberen te krijgen, dus voor mij is dat helaas de spinazie-wijnsaus. Maar het fijne is, dat ik vanaf nu iets ánders mag maken met de melk, wijn en spinazie. Snap je, ik mag zelf iets gaan bedenken. Dus dat leek op zich goed nieuws.'

De meiden knikken. Hun vader kan supergoed verrassingen bedenken, dus ook een nieuw gerecht!

'En om het gemakkelijker te maken, had Spatèl een tafel vol etenswaren neer laten zetten. Sommige dingen waren echt duur, hoor! Voor de wedstrijd mochten we daar allemaal één ding vanaf pakken, dat we mogen gebruiken om ons recept speciaal te maken. Iedereen stoof op die tafel af. Er was

kreeft en champagne, er waren oesters en dure cantharellen.
Maar weet je wat ik toen pakte? Dit.'
Hij schuift een zak bloem naar voren; een zak witte bakmeel.
'Heb je *bloem* gepakt?' Lotte kan niet helpen dat ze een
giechel moet onderdrukken. Ook Luna lacht stiekem, achter
haar hand.
'Ik kon niet meer denken, ik raakte in paniek!' Papa schudt
zijn hoofd en kijkt naar zijn dochters. 'Nu moet ik dus iets
maken van mosterd, kerrie, boter, room, spinazie en *bloem*!
Ik wist *zonder* die bloem al niet wat ik ermee aanmoest.'
Een kleine grinnik ontsnapt aan Luna's mond. 'Dus er was
ook kreeft?'
Haar vader knikt. 'Het moet morgen al klaar zijn. Prachtige
pasta's lagen erbij, en vis en vlees waarmee je gerecht al van-
zelf lekker is. Hoe kan ik dan de *bloem* pakken?!'
'Haha–' Dat was per ongeluk. Lotte slaat snel haar hand
voor haar mond, maar papa kijkt haar toch vragend aan.
'Vind je het grappig?' vraagt hij.
Ze schudt gauw haar hoofd – 'neenee', maar haar lach doet
van 'jaja' en de tranen springen in haar ogen.
Luna helpt ook niet erg en zegt: 'Jawel, zij vindt het grappig.'
'Dus als er een tafel vol dure, luxe etenswaren staat,' begint
hun vader, 'en ik ren er in dolle paniek op af. Als ik dan iets
lulligs als alleen maar de bloem pak, haha...'
Lotte zegt nog steeds van niet, maar intussen schudt haar
buik en kan ze niet meer stoppen.

❖

Mama belt terug! Zodra Luna's mobiel klinkt, springen de

meiden erop af. 'Mama!' roepen ze. 'Mama Marianne!'

En dan horen ze eindelijk weer die zoete, zachte zangerige stem. 'Hoe gaat het met mijn meisjes?'

'Heel goed!' roept Lotte over de schouders van Luna – en krijgt meteen een beuk.

'Heel goed?!' sist Luna vragend. 'Waarom zeg je dat nou. We bellen mama toch juist omdat het níet goed gaat?!'

Hun vader is allang weer aan het werk in de brute keuken van Chez Moi. Het liefste zouden ze hem dwingen om een lange neus naar die dikke Spatèl te maken, maar ja, hij zegt dat je nooit beter wordt van halverwege opgeven...

'De lijn is slecht,' roept mama. 'Wat zei je, gaat het goed? Wat doen jullie allemaal voor leuks?'

Luna laat zich op het bed zakken. 'Mam...' zegt ze alleen nog maar en haar stem breekt al. Een traan rolt over haar wang. 'Die Spatèl is een kinderlokker.'

Klik – tuuttuut... hoort ze dan.

Huh?

Lotte vraagt: 'Heeft mama de verbinding verbroken?'

Verbluft kijkt Luna naar haar mobiel. 'Daar lijkt het wel op...'

'Of heeft Spatèl dat gedaan... Is het mogelijk dat hij de sim-kaart eruit heeft gehaald? Zonder simkaart kan je telefoon niks meer...'

'Sjee, tostihoofd! Ik zat toch net nog gewoon te bellen!'

En dan gaan de telefoon weer over. Meteen neemt Luna op. 'Mam?'

'Hai schat, de verbinding werd verbroken hè? Wat wilde je zeggen, gaat het wel goed?'

'Mam...'

'Ja?' En alweer hoort Luna: *tuut kraak tuuttuut...* Wat irritant!

Luna kijkt teleurgesteld naar haar mobiel. 'Het lijkt erop,' zegt ze, 'dat we er alleen voor staan, Lot.'

'Wat moeten we dan doen?'

Luna haalt haar schouders op: dat is simpel voor haar. Ze heeft wel een idee. 'Weet je nog dat ik niet op internet mocht van papa en mama? Dan doen we vanaf nu dus wel. Het is onze enige redding. Wat weten we nou eigenlijk van Spatèl? We gaan informatie zoeken. Misschien vinden we iets verdachts. Iets dat met snoep of kinderen te maken heeft, of met friet. Misschien ontdekken we zelfs waarom hij zo onaardig tegen papa doet.'

Kraakmevrouw / Seine

Het valt niet mee om te internetten via de telefoon. Het duurt eindeloos voordat een pagina is ingeladen. Maar dat geeft niks. Op deze manier hebben ze tenminste wat te doen, en gaat de ochtend vlot voorbij. Hopelijk krijgen papa en mama straks een rekening die wel meevalt, en hopelijk is hun straf dan ook niet al te erg. Het is een noodgeval, dat zullen hun ouders toch wel snappen?

Ze tikken steeds wat woorden in op Google en wachten dan welke mogelijkheden er tevoorschijn komen.

Ze typen: **Spatèl en friet.**

Of: **topkok en patat.**

En: **Spatèl, topkok, patat, frites, hekel...**

Elke keer komen er nieuwe websites tevoorschijn die artikelen hebben over het onderwerp. Via *Google translate* kunnen ze de pagina's in het Nederlands vertalen. En eerlijk gezegd: wat ze vinden, is niet best...

Op de website koken.recepten.nu zegt Spatèl dit:

"Mensen denken dat ze friet moeten hebben om extra lekker te eten, maar dat is onzin. Mijn 'terrine gourmandine' is vele malen lekkerder. Ik maak dat als de beste, maar nee, dat lusten de kinderen dan weer niet!"

Op www.frietbakkers.nl heeft hij een reactie geplaatst:

"Jullie maken hier reclame voor friet, dat zou verboden moeten worden. Mijn eten wint prijzen en is veel gezonder. Je zou je moeten schamen!"

En ze vinden een weergave van een artikel uit het tijdschrift 'Smakelijk!'. Daarin zegt Spatèl: "Ik reageer helemaal niet agressief op mensen die patat bakken. Ik heb één keer iemand in elkaar geslagen, ja, maar dat is inmiddels jaren geleden. Die noemde zich een collega, nou, dan moet iemand hem een lesje leren. Dat heeft niets met jaloezie te maken. Zeg, kan jij geen betere vragen bedenken? Dit zijn oude koeien uit de sloot!"

Luna krabt over haar kin en zucht: 'Dat is agressief, zeg.'
Lotte knikt. 'We moeten papa waarschuwen.'
'Ongelooflijk,' zucht Luna. 'Waarom wisten we dit niet voordat we naar Parijs gingen? Loek heeft dit voor papa geregeld, hij had het toch moeten weten!'
Lotte vraagt: 'Zoek ook eens iets over snoep?'

Maar nee, over snoep vinden ze niks. Helemaal niks. Noppes. Terwijl Spatèl toch een geheime kast heeft die afgeladen vol staat met lollies, toffees en zure matten!
'Dat is toch vreemd?' vraagt Lotte.
Luna knikt. 'Behalve...' zegt ze, 'als hij dat snoep inderdaad alleen in het geheim gebruikt.'
Lotte kijkt haar met grote ogen aan en zegt: 'Om kinderen te lokken...' Ze slikt. En kucht. Dan vraagt ze: 'Zijn we in gevaar, Luun?'

❧

Ze weten het niet. Of ze in gevaar zijn. Zou zo'n kerel de kinderen van een cursist iets aan willen doen? Brr, misschien... Het is in ieder geval geen zuivere koffie, dat weten ze wél. Aan de ene kant willen ze op de loer liggen en hem weer achterna gaan (Luna), maar aan de andere kant durven ze dat niet goed (Lotte).

Ze zijn opgelucht als papa aan het einde van de middag naar het appartement komt voor een pauze. Hij snijdt aardappelen in frietreepjes terwijl hij vertelt dat Spatèl de hele middag bezig is geweest met het verzamelen van juryleden voor de wedstrijd.

'Er komt ongelooflijk veel pers naar de wedstrijd,' zegt hij terwijl hij een toren maakt van keukenrol en aardappelreepjes.* 'Weet je nog hoeveel journalisten er in de bosjes liggen als mama thuiskomt?'

Luna en Lotte knikken. Superveel. Wel een stuk of vijf.

Papa zegt: 'Morgen komen er wel twintig. Minstens. Spatèl heeft de hele middag geroepen welke kranten er allemaal komen: *Le Parisien* en *Le Figaro*. Maar ook de gratis krantjes, en die zijn het allergrootste. Zoals *Direct Matin* en *Metro*.'

Lotte giechelt: 'Je zegt metró.'

'Hm?'

'Je moet métro zeggen,' lacht ze. 'Aardappel.'

Papa gooit een échte aardappel naar Lotte. Zij vangt hem net op tijd.

'In Frankrijk leggen ze de klemtoon anders, dat weet je toch? Jij kunt ook Frans,' zegt papa.

'Echt waar?'

'Tuurlijk! Zeg maar eens: *toilette*.'

'Toilet.'

---

* Hij gaat de lekkere Plaza Patatta's maken, zie: Een geheim luik en/of www.plazapatatta.nl.

'Nee, dat is Hollands. Je moet zeggen: *toilette.*'

'Goed zo. En nu: *orloge.*'

'Horloge?'

Papa glimlacht. 'Nee, gekkie: órloge. Ze schrijven de 'h' wel, maar ze zeggen hem niet.'

Luna knikt dat ze het snapt. Ze trekt haar staart recht en zegt tegen Lotte. 'Dit is ook Frans, zeg maar na: ik ben een *sotte.*'

'Ik ben een sot?!'

'Haha!' lacht Luna dan.

Ook papa Hans staat te lachen bij het aanrecht.

Papa grinnikt: 'Niet je zusje plagen, Luun.' En tegen Lotte lacht hij: 'Je zei dat je een zot was. Een dwaas.'

'Een...? O!' Lotte stort zich op Luna.

Maar precies als ze denkt dat ze gaat winnen, als Luna duidelijk onder haar ligt en geen kant meer op kan, gaat Luna's mobiel. *Tiedeldie, tiedeldoo...*

'Ik moet opnemen,' hijgt Luna.

'Zeker nu je aan het verliezen bent,' puft Lotte, maar ze geeft Luna toch ruimte om haar telefoon uit haar broekzak te pakken.

'Het is mama!' roept Luna en ze veert omhoog. 'Mmm,' doet ze. 'Oké,' knikt ze. 'Is goed,' zegt ze. Dan hangt ze op.

Bijna tegelijk vragen papa en Lotte: 'Wat zei ze?'

Luna kijkt ze even aan en roept: 'We moeten jassen aan. Ze staat beneden voor de deur!!'

Jippie! Ze sjezen naar hun jassen en verdringen elkaar om als eerste buiten te zijn. Mama is er. Mama Marianne!

'Ik wilde bij jullie zijn,' zegt ze terwijl ze iedereen in haar armen neemt. 'Ik had het gevoel dat ik hier moest zijn, dus vandaar. Is het een leuke verrassing?'

Dat is het zeker weten.

Met zijn vieren wandelen ze langs de Seine. De rivier is wel, let op, zevenhonderdzesenzeventig kilometer lang! (Maar zo ver hoeven ze gelukkig niet te lopen.) Papa heeft zijn arm om mama's schouders geslagen en Lotte houdt haar moeders hand vast.

'We lopen nu op de plek waar Parijs ooit is begonnen, lieverds,' zegt mama. 'Het heet *Ile de la Cité*, dat betekent: eiland van de stad. Als je van bovenaf zou kijken, dan zou je zien dat we nu op een eilandje in de Seine zijn. Grappig, hè?' Mama kust haar man en trekt Lotte even stevig tegen zich aan. 'Laten we naar de *Pont Neuf* gaan. Dat is de oudste brug van Parijs, ook al betekent de naam 'nieuwe brug'.'

Luna, Lotte en papa Hans vinden het allang goed. Hun gezin is weer even compleet, en het zangerige enthousiasme van mama kunnen ze goed gebruiken. 'De brug ligt op het puntje van het eiland. Hij is wel tweehonderdachtendertig meter lang. Het is de op drie na langste brug van heel Frankrijk.'

'Wat weet je dat goed, mama.' Lotte vleit zich tegen haar moeder aan. Ze hebben niks verteld over Spatèl, misschien hoeft dat ook niet. Misschien zal hij zich beter gedragen nu hun beroemde moeder erbij is. Dat zou fijn zijn.

'Hoe weet je dat eigenlijk allemaal?' vraagt Luna.

Haar moeder trekt haar rood gestifte lippen in een brede lach. 'Ik ben hier zo vaak geweest om te zingen, lieverds. Optreden is heerlijk. Maar wat doe ik overdag? Dan duik ik in de geschiedenis van het land waar ik ben. Ja, dat is lekker, hoor, anders zit ik jullie toch alleen maar te missen. Vandaar.'

'Mama is een reisgids!' lacht Lotte.

'Hebben jullie al een kraakmevrouw geproefd?' vraagt
mama dan.

'Een wat?' Luna en Lotte vragen het tegelijk.

'Een kraakmevrouw, oftewel: *une croque madame*. Schattekontjes, die ga ik nu voor jullie regelen. Je hebt een kraakme-
neer, een *croque monsieur*, dat is een tosti waarbij de kaas
door room is geroerd en ook bovenop is gedaan. Heerlijk.
Wij vrouwen krijgen er nog een gebakken ei bovenop. *Voilà*,
de kraakmevrouw!'

'Klinkt lekker, mam.'

'Dat is het ook, lieverd.'

Lotte kruipt nog eens
extra tegen haar zachte,
ronde moeder aan...

Opéra Bastille

De volgende ochtend is papa al vroeg vertrokken. Het wordt een zenuwslopende dag voor hem. Vanavond is de wedstrijd en alsof dat niet erg genoeg is, komen er twintig belangrijke journalisten! Die kijken de hele dag op zijn vingers. Pfft, alles gebeurt tegelijk!

Luna en Lotte hebben hem niet eens durven vertellen wat ze gevonden hebben over Spatèl en zijn haat tegen patat. Daar zou hij alleen maar nóg nerveuzer van worden.

Aan hun moeder hebben ze ook nog niets verteld. Dat willen ze wel, maar ze zitten alledrie nog zo gezellig in pyjama... Het is heerlijk om weer even tegen mama's zachte boezem te kunnen kruipen en in haar armen te blijven liggen. Ze willen dat allebei niet verstoren met de rotverhalen over hun angstige verblijf in Parijs.

Luna heeft de oven voorverwarmd. 'Wat zijn croissantjes toch lekker, hè?' Mama vouwt het zakje open, ze zijn vers van de bakker. 'Zal ik papa eens vragen of hij die zelf wil leren maken? Voor als mensen komen lunchen?' Ze begint te giechelen en zegt: 'Zal Adem leuk vinden.'

'Adem? Hoezo?' Nu mama Marianne zijn naam noemt, vraagt Luna zich ineens af hoe het zal zijn met hun Turkse beste vriend. Zit hij soms gezellig met Camil in de keuken van Plaza Patatta te gamen? Of helpt hij mensen te serveren en bestuurt hij de treintjes met friet? Ze zucht. Ineens mist ze hem...

Lacherig zegt mama: 'Vroeger, zo'n vijfhonderd jaar geleden, was het Turkse rijk het allergrootste van Europa, toen heette het 'Het Ottomaanse rijk'. Ze probeerden ook Frankrijk te verslaan, maar toen dat niet lukte, trokken ze zich terug. Het verhaal gaat dat Franse bakkers hun broodjes daarna in een halve maan hebben gevormd. Omdat op de Turkse vlag een halve maan staat. Het was bedoeld om de Ottomanen, de soldaten van het Turkse rijk, te bespotten.'
'Ottomanen?!' vraagt Lotte. Ze snapt er niks van.
'Om de soldaten te bespotten?' lacht Luna. 'Haha, nu weet ik zeker dat papa croissantjes moet leren maken. En ik ook. Dan ga ik die aan Adem geven en vragen of hij ze lekker vindt, haha!'
'Ik snap er niks van,' zegt Lotte eindelijk.
'Omdat jij een puddingbroodje bent,' plaagt Luna.
'Maar wel een heerlijk puddingbroodje,' vindt mama.

❖

Het is wel fijn dat mama er nu is, want daardoor doen ze totaal andere dingen dan ze normaal zouden doen. Zoals: naar het operahuis gaan. Nu mama samen met haar dochters in Parijs is, wil ze de mogelijkheid benutten om hen te laten zien waar ze normaal optreedt. Over Spatèl moeten ze het morgen maar hebben, besluiten Luna en Lotte, want hij heeft het nu toch veel te druk met de kookwedstrijd en alle journalisten die naar het restaurant komen. Die zal vandaag heus niks kwaads doen.
Ze wandelen een flink eind naar de metro bij de Arc de Triomphe en nemen lijn 1. En ze hoeven niet over te stappen! De metro blijft aan de noordkant van de Seine rijden, gaat

langs het Ile de la Cité, helemaal naar station *Bastille*. Dat spreek je zo uit: bastieje.

Het duurt heel lang, en mama gebruikt de reistijd om te vertellen over het operahuis dat ze gaat laten zien. 'Er zijn maar liefst drie operahuizen in Parijs,' begint ze. 'Eén voor operettes, dat zijn de grappige opera's, en twee voor serieuze opera's. Het *Palais Garnier* en de *Bastille*. In Parijs zijn heel veel wereldpremières van de opera, echt, het wordt hier veel minder suf gevonden dan in Nederland. De kaartjes zijn hier ook beter te betalen trouwens, maar dat is een ander verhaal...'

Het interesseert de meisjes niet echt natuurlijk. Niet écht. Operahuizen en wanneer die werden gebouwd... Bij een vakantie naar Parijs denken ze niet meteen aan extra geschiedenisles. Maar het is hun moeder die het vertelt en dat maakt het toch anders. Zij lééft in deze operahuizen, zij werkt er en zingt er de longen uit haar lijf. Als ze zelf niet hoeft op te treden, gaat ze er toch weer heen om naar collega's kijken en die collega's, dat zijn haar vrienden.

Mama vertelt: 'In het operahuis Bastille zijn de meeste uitvoeringen. Dat is waar ik ook meestal sta.' Ze tuurt glazig uit het raam en zegt: 'Ooit stond op de plaats van het theater een gevangenis.'

'Gevangenis?!' Kijk, nu heeft ze plots de aandacht van Luna en Lotte te pakken.

Verbaasd kijkt mama Marianne naar haar dochters die ineens opveren. 'Ja,' lacht ze, 'het was een gevangenis en op een dag zijn alle gevangenen bevrijd door het volk. Dat was op 14 juli, maar dan zo'n tweehonderd jaar geleden. Nog steeds is 14 juli een nationale feestdag in Frankrijk, met vuurwerk en alles. Omdat de bestorming van de Bastille-

gevangenis een soort start is geweest van een periode
waarin het gewone volk in opstand kwam tegen uitbuiting
door de adel. Snap je wel?'
Luna knikt. Lotte ook – maar eerlijk gezegd zijn haar gedachten blijven steken bij het feest met vuurwerk.
Tevreden schudt mama haar haren los, en haar boezem deint
mee. De metro stopt bij halte *St-Paul*. Bij de volgende moeten
ze eruit. 'De plek waar we naartoe gaan, is één grote cocktail
van de geschiedenis, echt hoor.'
'Een cocktail, haha, gaan we onze beroemde Kindercocktail
drinken?'
'Natuurlijk niet, lieverds. Maar op het plein waar aan de
opera staat, het *Place de la Bastille*, daar zijn superbelangrijke
dingen gebeurd. Gevechten, oorlog... Alles in juli. Op het
plein staat ook een standbeeld, de *Colonne de Juillet*, dat betekent: de pilaar van juli. De julipilaar.'
De metro stopt op halte *Bastille* en ze stappen samen uit
terwijl mama zegt: 'Door de opstand in Frankrijk kwam het
volk in de rest van Europa óók in opstand. Weet je dat dit er
uiteindelijk zelfs voor heeft gezorgd dat België nu niet meer
bij Nederland hoort?'
Luna vindt het eerlijk gezegd wel interessant. Ook om te
weten hoe het kwam dat België zich van Nederland af-
scheidde. Maar iets trekt haar aandacht.
Iets kleins...
Maar toch iets belangrijks...
Ze kijkt zoekend om zich heen. Ergens klopt iets niet, maar
wat...? Het metrostation is boven het water gebouwd, ze
gaan de trappen omlaag zodat ze ondergronds naar de uit-
gang kunnen wandelen. Lotte heeft de hand van mama gepakt en luistert tevreden naar wat die nog meer vertelt. Luna

spiedt om zich heen. Er is iets, ze *voelt* iets...
Dan begrijpt ze wat het is. In die hoek. Bij de broodjeszaak.
Dat is geen gewone toerist. Plots stopt haar adem. Haar hart
slaat over. Dat is... DAT IS SPATÈL!!
'Lotte,' sist Luna. 'Lotte!!'
Maar Lotte hoort natuurlijk niets. En neem het haar eens
kwalijk; ze loopt zo gezellig met haar moeder in Parijs...
'**Lotte**,' doet Luna luid. Ingehouden en toch zo hard als ze
kan.
Wat doet Spatèl? Hij koopt iets. Of vraagt iets... Ja, dat kan
Luna natuurlijk niet zien van zo'n afstand.

❖

Eindelijk kijkt mama Marianne om om te zien waar Luna
blijft. Ze kijken elkaar aan en Luna wijst richting Spatèl.
'Hm?' doet mama's gezicht.
'S p a t è l,' vormt Luna met haar mond.
'Jawel?' vraagt mama.
Zucht...
Luna wijst met een ernstig gezicht in de richting van Spatèl.
Wat doet hij nu?! Hij staat te friemelen bij een houten
deurtje. Hij opent het...
'Het is Spatèl!' fluistert Luna. Maar dan schreeuwt ze kei-
hard: 'Hij ontsnapt, HIJ ONTSNAPT!'

Hij ontsnapt!

Luna denkt nog maar aan één ding: Spatèl pakken. Zonder aarzeling vliegt ze op het houten deurtje af en houdt het open.

'Luna!' roept mama, maar Luna stapt er al doorheen. 'Wat doet ze, wat doet ze?'

'Help,' roept Lotte. 'Zag ze Spatèl echt?'

Mama port Lotte in haar rug en roept: 'Erachteraan! Snel! Mijn dochter!' Ze bedoelt natuurlijk haar dochter Luna, want die is ineens vertrokken. Mama is hartstikke bezorgd.

Om hen heen klinkt rumoer en lawaai. Is dat vanwege hen? Ergens hoort Lotte iets als *'interdit'*, maar ze heeft geen idee wat het zou moeten betekenen. Ze gaat met haar moeder mee achter Luna aan, door de deur. Ze moet wel.

❖

Achter het houten deurtje stapt Luna in een morsige, donkere ruimte. Spatèl loopt tien meter voor haar, misschien vijftien. Het is niet bepaald slim wat ze doet. Ze weet niet waar ze is en: wat moet ze in haar eentje tegen zo'n grote vent?

Kennelijk is Spatèl toch bang om door haar gepakt te worden, want hij kijkt schichtig achterom en beent vooruit.

'Luna, kom terug!' klinkt de stem van mama Marianne streng.

En Lotte vraagt: 'Luun, wat doe je? Voorzichtig!'

'Hij is een kinderlokker, mam,' zegt Luna luid.

Lotte begint te hoesten. 'Wat een lucht, die stank!'

'Maakt me niet uit,' zegt mama boos. 'Kom zo snel mogelijk terug!'

'Mam, hij heeft snoep in zijn zakken en gaat ermee naar een pretpark.'

Lotte fluistert met gesmoorde stem dat het klopt: 'Hij rende weg toen hij ons zag, hij is echt eng.'

Luna blijft lopen. Een tikje langzamer misschien, zodat Lotte en mama haar kunnen bijbenen. Misschien is ze toch een beetje bang dat ze straf krijgt. Maar ze verliest Spatèl niet uit het oog.

Ze zegt: 'Spatèl stond bij die kiosk met broodjes, bij de metro. Vandaag is het superdruk met alle journalisten voor de wedstrijd. Wat doet hij hier dan?'

Mama Marianne is naast Luna komen lopen. Kennelijk is ze toch wel nieuwsgierig, want ze loopt door en houdt Luna niet tegen. Het tempo wordt zelfs weer wat opgevoerd.

Luna vertelt: 'Hij zegt dat papa maar een patatbakker is. Hij laat hem expres dingen doen die hij niet kan en papa denkt nu zelf ook dat hij een slechte kok ís.'

Lotte sist tegen haar zus: 'Zeg dan dat hij bijna niet slaapt. Zeg dan dat hij zich heel slecht voelt.'

'Wat een vreselijk verhaal,' zegt mama. 'Maar moet je dat nu echt helemaal tot aan híér gaan uitzoeken?' Ze trekt een vies gezicht.

Luna steekt haar handen in de lucht, om aan te geven dat het echt niet anders kan: 'Hij rent steeds voor ons weg!'

Lotte hijgt: 'Hij haat patatbakkers zoals papa. Hij vindt dat mensen te graag friet eten terwijl ze bij hem zouden moeten komen.'

'Echt waar? Maar waarom?' Mama begint er langzaam ver-
ontwaardigd uit te zien.

'Hij is jaloers,' beweert Luna.

Mama knikt. 'Net zo jaloers als Raoul?'*

Lotte schrikt op – daar had ze nog niet aan gedacht. Als
iemand jaloers is, kan hij de vreselijkste dingen doen. Alleen maar om een ander te dwarsbomen. Zoals je voor schut
zetten, of je saboteren bijvoorbeeld.

'Weet je wat?' zegt mama. 'Het kan me niet meer schelen
dat het hier zo vies is. We zijn nu al zo ver gegaan. Ik wil nú
óók weten wat er aan de hand is en waarom.' Mama's mooie
divajurk fladdert achter haar aan en schuurt langs de muur.
Normaal *zweeft* hun moeder over de grond, maar nu niet,
nu *ploetert* ze. En dat op die hoge hakken van haar. Lotte
giechelt; het is eigenlijk geen gezicht.

Ineens beseft Lotte van wie Luna die rare nieuwsgierige
karaktertrek moet hebben! Haha, van hun *moeder*, wie had
dat gedacht! Lotte knijpt opnieuw haar neus dicht. Met een
papegaaienstem kucht ze: 'Het stinkt als een riool - blegh!'
Luna lacht: 'Dat klopt!'

Mama knikt ook lachend dat het klopt. 'In Parijs heb je
onder de grond nog open riolen.'

Maar Lotte trekt een vies gezicht. 'De riolen?! Dat is toch…'
Luna onderbreekt haar: 'De afvoer van water uit de wc's,
douches en wasmachines en zo.' Nog altijd stappen ze
achter Spatèl aan, ze verliezen hem niet uit het oog. Hij mag
vluchten wat hij wil, maar ze zullen hem overal volgen! Als
Luna eenmaal iets in haar koppie heeft, is ze nergens meer
door te stoppen – en hun moeder kennelijk óók niet! Ze zegt,
met haar ogen op Spatèl gericht: 'Onder de grond is er nog
een soort Parijs, maar dan met een gangenstelsel voor de

* Zie: Plaza Patatta *'Een giftige indringer'*

70

riolen in plaats van straten.'

Trots pakt mama haar hand. 'Kind, wat weet je dat goed.'

'Heb ik gelezen in de informatie over Parijs, mam.'

'Goed gedaan,' zegt mama en ze aait over Luna's rug.

'Haha,' lacht Lotte – die puffend achter de twee aanhobbelt.

'Jullie zouden *allebei* reisleider moeten zijn!'

Mama lacht met haar mee. 'Reisbureau Veldstra,' zegt ze.

'Ja,' grinnikt Luna. 'En 's avonds in bed komt Lotte dan
spookverhalen vertellen aan iedereen.'

Met zijn drieën lopen ze gniffelend door.

❖

Natuurlijk is het nog steeds gevaarlijk. Ze weten niet of
Spatèl een pistool bij zich heeft, of een mes in zijn jaszak.
Zou dat kunnen? Een topkok met een pistool? Lotte durft
het bijna niet te vragen, want dan lachen mama en Luna
haar meteen uit. Maar wat, als hij inderdaad een wapen
draagt? Bijvoorbeeld omdat hij zich bedreigd voelde toen
gisteren bleek dat de meiden hem achtervolgden…?

Als hij zich nu omdraait en begint te schieten… Dan gaan
mama en Luna er als eerste aan. Lieve help! Dat wil ze niet
meemaken! Haar lieve moeder, haar eigen wijze zus…

'Doen jullie voorzichtig?' zegt ze.

'We zullen voorzichtig door het riool stappen, schat.'

'Nee, ik bedoel… Voor hém.'

'Natuurlijk, lieverd.'

Ze lopen op een soort stoep, een smalle kade zou je
bijna zeggen. En langs de stoep kabbelt een riviertje. Een
stinkende rivier, dat wel. Nu je beter kunt kijken, zie je dat er
brokjes in drijven.

'Wat is dat in het water?' vraagt Lotte.
Mama en Luna kijken elkaar aan. Ze giechelen.
'Wat?' vraagt Lotte. Ze kijkt nog eens goed. Ze ziet halve appels en stukjes zeewier. Zelfs een paar frietjes ziet ze drijven!
En gilt dan: 'Iew!!'
Mama en Luna lachen hardop.
'Het is een DROL!' gilt Lotte.
'Wat denk je dan, haha? In een riool!'
Nu pas valt het Lotte op hoevéél brokjes er drijven en hoevéél poep dat is. Vandaar die lucht. 'Er drijven drollen en...
en... *poep* naast ons!'
'Poep van heel Parijs, lieverd.'
'Goeie, mam!' Luna geeft haar een *high five*.

❖

'Waar zou hij nou naartoe gaan?' vraagt Luna.
Het is prachtig en een beetje bizar, maar onder de grond heb je zo'n beetje *straten* van riool. Ze heten ook hetzelfde als de straten boven de grond, dat heeft Luna net verteld. Ze kunnen dus eigenlijk niet verdwalen. Hoe denkt Spatèl hier te kunnen ontsnappen? En wanneer geeft hij het eindelijk op?
'Soms hebben beroemdheden bizarre trekjes,' vertelt mama. Ze loopt nog steeds op haar hoge hakken, maar hijgt helemaal niet zoals Lotte wel doet. 'Dan kunnen ze iets heel *knaps*, zoals koken of bijvoorbeeld zingen, maar ze doen ook iets heel *slechts*. Zoals eh, tja, dat weet ik dus niet zo één, twee, drie. Maareh, er zijn beroemdheden die bijvoorbeeld hun huisdieren verwaarlozen, heel zielig. Of die hun vriendin vermoorden. Zulke dingen gebeuren. Als Spatèl iemand heeft vermoord, wil hij voor geen goud dat het

bekend wordt. Dan komt niemand meer eten in zijn restaurant.'

'Het is iets met kinderen…' peinst Luna. 'Hij lokt kinderen. Maar waarvoor…'

In de verte kan je zien dat Spatèl twijfelt. Hij staat bij een trappetje dat omhoog loopt langs de muur. Maar is hij snel genoeg boven voordat Luna en mama hem kunnen pakken? (En Lotte natuurlijk ook, als laatste dan.)

Maar de weg houdt op. Dus hij móet wel omhoog.

'We pakken hem,' sist Luna.

Maar dan: gaat hij *door* het water. Hij springt zomaar in het riool! Hij *zwemt* naar de overkant! Door de poep van Parijs!

'Iew,' doet Lotte gruwend.

Maar Luna roept: 'Hij ontsnapt! Erachteraan!'

Gruwend en puffend

Het kan niet waar zijn, maar dat is het wel: Luna springt
zonder aarzeling óók in het rioolwater.
'IEW!' schreeuwt Lotte.
Je ziet drollen drijven, talloze hompjes, brokjes, eilandjes,
slierten van stront. Hoe beter je naar het donkere water kijkt,
hoe meer poep je ziet. Er stromen half vergane hamburger-
papiertjes mee; alles op weg naar de zuivering van het water.
Maar het wordt nog erger dan het al was: mama Marianne
trekt haar hakken uit en zet ze op de kant. En dan... voelt ze
met een teen.
'Niet doen, mam,' probeert Lotte.
Maar de diva gaat, hoeps, te water.
'MAM,' gilt Lotte. Haar moeder doet alsof ze er geen enkel
probleem mee heeft, ze gaat nog net niet koppie onder zoals
ze in een lekker zwembad zou doen.
'Kom!' doet ze met een hoofdknik naar Lotte. Het is, serieus
waar, *precies* dezelfde manier van knikken die Luna kan
hebben. Een knik die zegt: jij gaat er *niet* voor zorgen dat we
geen antwoord vinden, jongedame!
De borsten van de diva deinen in het zacht stromende water.
Je ziet de drollen er nog net niet tegenaan botsen, maar *wat*
een smerigheid. Dit is nou dus typisch iets dat de fans van
mama Marianne maar beter niet kunnen weten. Hun diva...
Sterker nog: het is iets dat haar eigen dochter misschien

liever niet had willen zien!

Mama's lange haren drijven op het rioolwater. Ze houdt haar armen boven het waterpeil, ze kan duidelijk staan (met de drek tussen haar blote tenen) en waadt erdoorheen. 'Kom,' zegt ze weer, 'straks ontsnapt hij nog.'

'Hij komt heus wel een keer terug naar het restaurant,' vindt Lotte. Ze doet haar armen over elkaar. Echt niet dat ze erin springt, echt niet.

'Maar dit is op *heterdaad*!' roept mama. 'Dit is je kans om eindelijk de waarheid achter zijn geheimzinnige gedrag te ontdekken.'

Luna heeft veel minder geduld met haar zusje. Ze moet dan ook haar best doen om haar kin boven water te houden en watertrappen om niet koppie onder te gaan. 'Lotte, nú!' gilt ze.

'Maar, mahám!'

'Kom, schattekont, als je nu springt, zal ik op je wachten. Dan mag je op mijn rug en hoef je niet te zwemmen. Maar je moet snel zijn, want ik ga met Luna mee en we zijn steeds verder van je weg.'

'Straks ben je alleen, Lotte!' gilt Luna. 'Dan komen er allemaal engerds en kinderlokkers en ook moordenaars. En dan ben jij de enige die ze kunnen pakken!'

Plons - daar gaat Lotte al. De stank zo dicht onder haar neus doet haar kokhalsen. Ze krabbelt gruwend en puffend als een hondje richting haar moeder.

'Mam, wacht, mam!' hijgt ze.

'Goed gedaan, lieverd. We gaan dit goed met je maken, hoor. Eerst Spatèl pakken.'

❖

Maar ze zijn niet de enigen die ervan gruwen. Tot haar verbazing ziet Lotte die akelige Spatèl ineens stilstaan. Hij maakt een schokkende beweging.

'Luna, mam, hij staat stil,' zegt ze.

Gek genoeg is Lotte degene die hem het beste in de gaten kan houden, want mama en Luna zijn druk met het ontwijken van alle gore viezigheid. Zoals kotszakjes die nog voor de helft vol zitten (als je die per ongeluk aanraakt, komt er ineens een wolk van kots vrij) of smerige stukken maandverband.

'Wat doet hij?' zegt ze niet speciaal tegen iemand.

Luna reikt naar mama en mag nu ook even leunen op haar schouders. Zo staan ze stil te kijken. Van een afstand.

Mama Marianne, stinkend en besmeurd. Met aan haar ene arm een dochter met poepwater tot aan haar kin. En op haar rug een piepend stinkdiertje. Op deze manier zijn ze zelf een soort rioolmonster geworden! Een driekoppig rioolmonster!

'Het lijkt wel… of hij hoest,' zegt Luna dan.

'Waarom zou hij stil staan om te hoesten?' vraagt mama. Ze vindt het niet logisch.

Luna haalt haar vieze schouders op. 'Misschien heeft hij zich verslikt in een van zijn lollies?'

'Nee joh!' roept Lotte dan. Ze begint te lachen. Ze lacht hard. Zo hard lacht ze, dat ze bang is alsnog van haar moeders rug te vallen en onder water te duikelen. 'Hij heeft zich natuurlijk verslikt in het *rioolwater*!'

De drie meisjes Veldstra zijn nog nooit zo vies geweest als vandaag, maar toch lachen ze harder dan ze in tijden hebben gedaan. Spatèl. De topkok. Verslikt zich in een drol! Getverderrie, haha!

'Heb je een lekker hapje gegeten, Spatèl?' roept Luna gemeen – ook al kan hij geen Nederlands verstaan. 'Was het goed klaargemaakt?'

'Ja,' hikt Lotte nu ook. 'Lang genoeg gekookt en op tijd afgeblust?'

'Gelukkig was het geen friet!' roept Luna tegen haar zusje. 'Want dat is pas het allerergste dat je kunt eten, of niet, Spatèl?'

Zelfs mama Marianne heeft geen medelijden. Zij is ook boos, omdat hij zo lelijk tegen papa Hans heeft gedaan. Ze lijkt even te twijfelen, maar zegt dan toch: 'Misschien moeten we Hans bellen om te zeggen dat hij kan winnen als hij dit vieze poepwater maar op de menukaart van Chez Moi zet.'

Tegelijkertijd begint ze te lopen. In de richting van Spatèl. Misschien heeft hij hulp nodig.

❖

Als ze vlakbij hem zijn, worden ze alledrie een beetje zenuwachtig. Wat zal hij doen? Is hij echt zielig of is het een list? Maar nee, hij lijkt toch echt zielig te zijn, hoor...

Zijn schouders schokken nog steeds, maar hoe dichterbij ze komen, hoe beter ze zien dat hij niet *hoest*, maar *huilt*.

'Spatèl?' vraagt mama. *'Qu'est-ce qu' il y a?'* *

De topkok zucht. Hij laat z'n handen in het water zakken. Moedeloos. (Lotte denkt alweer: Iew...) Hij zucht opnieuw. Dan zegt hij: 'Kan ik dan nergens...'

'Wat?' vraagt mama. 'Wat kan je nergens?'

'Kan ik dan nergens... rustig... een patatje eten?!'

Mama zet van verbazing twee stappen achteruit. Pas nu ziet ze de frietjes die dichtbij hem drijven. Luna klemt zich twee

---

* Dit betekent: 'Wat is er?'

keer zo stevig aan haar moeders arm. Lotte knippert met
haar ogen.
'Schattekontjes,' begint mama te zeggen. 'Volgens mij...
houdt hij juist heel erg veel van friet. Volgens mij probeert hij
juist stiekem friet te eten. Ik geloof... dat hij daarom steeds
op de vlucht sloeg, want niemand mag dat weten van hem,
de beroemde topkok!'
Spatèl staat snikkend in het riool – hij is onder de druk
bezweken.

Plaza Patatbakker

Het is werkelijk vreselijk hoe ze uiteindelijk bij Chez Moi aankomen. Natuurlijk werden ze door de politie aangehouden toen ze uit het riool klommen, maar toen die Spatèl herkenden, lieten ze hen gelukkig toch weer gaan. Maar ja, ze konden niet met de metro of taxi. Ze moesten het hele eind lopen.

Nu zijn ze moe. Vies, héél vies. Maar ze zijn wel met zijn vieren. Druipend van het riool, en stinkend naar poeplucht, stappen ze uiteindelijk de keuken binnen. Spatèl als een klein kind dat straf verdient. Mama, Luna én Lotte als de juffen die hem de straf graag zullen geven.

'Lieve mensen, luistert u alstublieft!' roept mama. In de keuken is het een drukte van jewelste. De deelnemers werken zich in het zweet voor de kookwedstrijd.

De journalisten schrijven zich een zere arm aan hun stukjes. Maar zodra mama heeft gesproken met haar krachtige operastem, is iedereen stil.

Papa Hans laat zijn spatel vallen. 'Bolleke!' roept hij geschrokken.

Een van de journalisten fluistert: 'Het is Spatèl.'

En een ander fluistert: 'Het is Marianne Veldstrá.' Want zo zeggen ze het in Frankrijk: Veldstrá.

Een, twee seconden kijkt iedereen verbijsterd naar de twee besmeurde beroemdheden. En dan beginnen werkelijk alle apparaten te zoemen en te flitsen die maar in de keuken aanwezig zijn.

'Meneer Spatèl heeft iets op te biechten,' zegt mama tegen de pers. En glimlachend tegen papa Hans: 'En wij hebben een uurtje of drie te douchen...'

'Ikeuh...' begint Spatèl. 'Ikeuh...' Hij kucht. Hij schrikt van de hand die hij daarbij voor zijn mond heeft gehouden. Hij vraagt een vochtige doek aan een assistent, die zoiets gauw aan hem geeft. Spatèl veegt zijn gezicht schoon. Dan kucht hij opnieuw. Hij laat zijn hoofd hangen en zegt superzacht: 'Ik heb gelogen.'

Een journalist zegt: 'Meneer Spatèl, wilt u dat nog één keer herhalen?' Hij schrijft ieder woord mee terwijl Spatèl herhaalt: 'Ik heb gelogen. Ik hou vreselijk veel van friet. En van snoep. Ik ben gek op patat en ik eet zakken vol snoep. Het liefste snoep ik elke dag, ik ben net een kind, het spijt me. Ik heb het verborgen gehouden in geheime potten en heb elke dag een nieuwe dosis in mijn jaszak gedaan. Al jaren haal ik patatjes in het Bois de Boulogne, of bij een metrohalte, of waar ik maar ongezien kan zijn.

'Maar nu waren er twee meiden...' – hij kijkt even achterom naar Luna en Lotte, die schaapachtig teruglachen – 'die mij belemmerd hebben om friet te eten. Ik heb mijzelf toen... in de nesten gewerkt.' Dat laatste zegt hij met een diepe zucht. 'Ik heb geprobeerd mijn geheim te bewaren. Ik ben geschrokken van hoe ver ik ervoor wilde gaan.' Hij bekijkt zijn vieze zelf. Spreidt zijn armen zodat iedereen goed begrijpt dat hij zó ver is gegaan om geheim te houden dat hij graag friet eet. Dan jammert hij: 'Ik ben een topkok die het liefste patat eet. Dat kan toch niet!'

Bijna laat hij zich op een stoel zakken, maar hij herstelt zich snel. De fotografen flitsen, maar niemand durft iets te zeggen.

Het is papa Hans die de stilte doorbreekt. Hij stapt naar voren en zegt: 'Natuurlijk kan dat wel!' Het maakt papa niks uit, hij legt gewoon een arm om Spatèl heen! (Iew!) 'Ik wil niet opscheppen, maar ik ben zelf ook een topkok die van friet houdt. Vooral van de Plaza Patatta's. Ik denk dat dát het gerecht moet zijn dat u op uw menukaart opneemt.'

Superzacht fluistert hij tegen mama: 'W e d o u c h e n
s t r a k s w e l e v e n s a m e n.'

Mama giechelt, maar papa draait zich alweer naar de pers.
Hij houdt een van Spatèls armen in de lucht en zegt op
juichende toon: 'Is hij ineens geen topkok meer omdat hij
van friet houdt?'
De mensen mompelen: 'Nee, ach, op zich niet...'
'Is zijn restaurant niet goed meer als je er patat kunt krijgen?'
Iedereen die er is, moet wat twijfel overwinnen. Tenslotte
hebben de leerling-koks en de kookjournalisten altijd be-
weerd wat Spatèl ook riep: een topkok hoort geen friet te
maken. Ha, maar dan hadden ze papa Hans nog niet ont-
moet!
Papa zegt: 'Ik vind het juist een overwinning dat je jezelf
kunt blijven ondanks de enorme druk die op de beroemde
schouders rust. Ik
vind dat een topkok
die óók friet maakt,
juist *extra* applaus
verdient!'
En alsof het hem niks
kan schelen, begint
papa te klappen.
Voor Spatèl. Die de
hele tijd zo onaardig
is geweest. Maar
toch redt papa hem
uit deze situatie.
Want zo is hij. Een
topper gewoon. En
misschien is hij ook
een tikje blij dat hij
zijn eigen mislukte

recept straks niet hoeft af te maken...

Trots beginnen Luna en Lotte met hem mee te klappen. En mama Marianne ook. Als mama klapt, dan beginnen sommige journalisten ook. Plus enkele leerlingen. Net zo lang, tot uiteindelijk iedereen staat te klappen.

Spatèl balt blij zijn vuisten. Hij roept boven het lawaai uit: 'De patatbakker wint de wedstrijd!'

Nóg harder applaus. En een omhelzing van papa voor mama Marianne. Met een knipoog dat ze hem heus niet vies maakt, omdat ze toch nog zullen douchen. Hij heeft de beroemde kookwedstrijd gewonnen. Wie had dat gedacht.

En na het douchen zal hij voor iedereen de Plaza Patatta's gaan maken. Het winnende gerecht. Want dat doet hij het allerliefste.

Welkom bij
PLAZA PATATTA
Kinderkoken

Wat had papa Hans kunnen maken met zijn rare ingrediënten? Kijk op www.plazapatatta.nl voor het (volwassen) recept van: Groene Spinaziesaus!

Kraakmevrouw

2 witte boterhammen
boter
75 gram geraspte kaas
100 ml kookroom
1 plakje ham
1 ei
peper en zout
oven op 210 graden
Aluminiumfolie

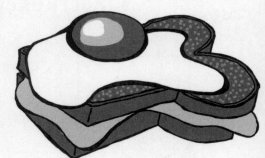

Meng in een kom de geraspte kaas met de kookroom.
Breng op smaak met peper en zout.
Smeer de boterhammen en leg een plakje ham op één
sneetje. Daarna de helft van het kaasmengsel erover
verdelen.
Leg de tweede boterham er bovenop en giet de rest van het
kaasmengsel er overheen. Zet deze 'tosti' tien minuten in de
oven, op een stukje aluminiumfolie.
Smelt boter in de pan en bak een spiegelei.
Haal de 'tosti' uit de oven als die goudbruin is – het is nu
een *croque monsieur*. Leg het spiegelei erop om er een *croque
madame*, een kraakmevrouw, van te maken.

Bon appétit!

Croissants

1 zakje van 7 gram droge gist
125 ml koude melk
400 gram tarwebloem (+ wat extra voor het uitrollen)
2 eetlepels suiker
125 gram roomboter
1 theelepel zout
1 ei
1 eidooier (voor het bestrijken van het deeg)
Oven op 200 graden

Doe de melk in een kom en brokkel hier het gist in, roer het glad. Voeg 2 eetlepels bloem toe. Strooi er nu een snufje bloem en suiker bovenop en laat het 15 minuten afgedekt staan.

Daarna de rest van de suiker, bloem, zout, het ei en 1 eetlepel roomboter toevoegen. Kneden tot een mooi glad en soepel deeg. Laat het deeg 20 minuten rusten in de koelkast. Bestrooi je aanrecht met bloem. Kneed het deeg nog een keer, meng de resterende boter erdoor. Het deeg uitrollen tot een rechthoek.

Snij de rechthoek in de lengte doormidden en daarna in driehoeken. Rol dit van de brede kant op naar de punt – en buig ze speciaal voor Adem in een halve maan! Bestrijk de croissants met eidooier. Doe ze ongeveer 15 minuten in de oven.

Het is echt niet zo moeilijk als het lijkt! Kijk op youtube
het filmpje 'Plaza Patatta: Croissants'.

Pepermuntlimonade

Kan water
3 stengels verse munt
Halve citroen in schijfjes

Doe alles in het water, laat het een minuutje of vijf intrekken en je hebt heerlijke frisse limonade. Het ziet er nog mooi uit, ook!

OpRoep

Papa Hans begint een restaurant, maar hij kan helemaal niet koken! Gelukkig wordt hij geholpen door alle kinderen uit Nederland.
Stuur jouw kinderkookrecept naar info@nandaroep.nl. Misschien komt het dan ook terecht in Plaza Patatta!

www.plazapatatta.nl

Plaza Patatta

piano, xylofoon, blokfluit

Muziek: Nanda Roep en Stijn van der Loo

Plaza Patatta   Frietkot Fritatta   Daar wonen grote schatta   Kom mee, dan gaan we starta!